BESTSELLER

John Grisham (Jonesboro, Arkansas, 1955) se dedicó a la abogacía antes de convertirse en escritor de éxito mundial. Desde que publicó su primera novela en 1988, ha escrito casi una por año: todas sin excepción han sido *best sellers*, además de resultar, ocho de ellas, una exitosa fuente de guiones para el cine. Su obra se compone de las novelas *Tiempo de matar*, *La tapadera*, *El informe Pelícano*, *El cliente*, *Cámara de gas*, *Legítima defensa*, *El jurado*, *El socio*, *Causa justa*, *El testamento*, *La hermandad*, *La granja*, *Una Navidad diferente*, *La citación*, *El rey de los pleitos*, *El último partido*, *El último jurado*, *El intermediario* y *La apelación*, así como del libro de no ficción *El proyecto Williamson: una historial real* y del guión cinematográfico de *Conflicto de intereses*, que dirigió Robert Altman. John Grisham vive con su esposa y sus dos hijos en Virginia y Mississippi.

Para más información puede consultar la web del autor: www.jgrisham.com

Biblioteca

JOHN GRISHAM

El último partido

Traducción de
Laura Rins Calahorra

DEBOLS!LLO

Título original: *Bleachers*

Segunda edición: junio, 2009

© 2003, Belfry Holdings, Inc.
© 2009, Random House Mondadori, S. A.
  Travessera de Gràcia, 47-49. 08021 Barcelona
© 2009, Laura Rins Calahorra, por la traducción

Revisión técnica, Diego Pérez

Printed in Spain – Impreso en España

ISBN: 978-84-8346-996-5 (vol. 412/10)
Depósito legal: B-28094-2009

Fotocomposición: Lozano Faisano, S. L. (L'Hospitalet)

Impreso en Liberdúplex, S. L. U.
Sant Llorenç d'Hortons (Barcelona)

P 869965

A Ty
y los maravillosos muchachos
con quienes jugaba al fútbol americano en el instituto;
a su magnífico entrenador;
y en recuerdo de dos títulos estatales

Martes

La carretera hacia Rake Field pasaba junto a la escuela, dejaba atrás el viejo quiosco de música y las pistas de tenis, atravesaba un túnel formado por dos hileras perfectas de arces rojos y amarillos plantados y costeados por los socios del club, y luego discurría sobre una pequeña colina hasta una zona más baja recubierta con suficiente asfalto para albergar mil coches. La carretera desembocaba frente a una inmensa puerta de ladrillo y hierro forjado que anunciaba la presencia de Rake Field, y al otro lado de la puerta había una valla de tela metálica que cercaba el sagrado terreno. Los viernes por la noche, la población de Messina en pleno aguardaba a que la puerta se abriera y después se abalanzaba hacia las gradas donde se disputaba los asientos y seguía nerviosos ritos previos al partido. La negra tierra asfaltada que rodeaba Rake Field estaba a rebosar mucho antes de la hora de inicio, lo cual obligaba a que el tráfico que no procedía de la ciudad se desviara hacia caminos y senderos polvorientos y remotas zonas de aparcamiento situadas por detrás de la cafetería de la escuela y su campo de béisbol. Los hinchas de ambos bandos vivían momentos duros en Messina, pero ni mucho menos tanto como los propios equipos enfrentados.

Neely Crenshaw conducía despacio por la carretera hacia Rake Field; iba despacio porque no había vuelto por allí desde hacía muchos años; iba despacio porque al ver los focos del campo lo invadió un aluvión de recuerdos, tal como esperaba. Pasó entre los arces rojos y amarillos, espléndidos con su follaje otoñal. En los tiempos gloriosos de Neely sus troncos tenían un grosor de treinta centímetros, y ahora las ramas se rozaban por encima de él y las hojas caían como copos de nieve y cubrían la carretera hacia Rake Field.

Era octubre y caía la tarde, y una suave brisa procedente del norte enfriaba el ambiente.

Detuvo el coche junto a la puerta y observó el campo. Todos los movimientos eran lentos, todos los pensamientos arrastraban el peso de sonidos e imágenes de otra vida. Cuando él jugaba el campo no tenía nombre; no lo necesitaba. En Messina todo el mundo lo conocía como El Campo. «Hoy los muchachos entrenan en El Campo de buena mañana», anunciaban en los cafés de la ciudad. «¿A qué hora tenemos que limpiar El Campo?», preguntaban en el Rotary Club. «Rake dice que hacen falta nuevos bancos de visitantes en El Campo», comentaban en la asamblea de socios. «Esta noche Rake los ha tenido en El Campo hasta tarde», decían en las cervecerías del norte de la ciudad.

No había pedazo de tierra en Messina más venerado que El Campo. Ni siquiera el cementerio.

Después de que Rake se marchara, le pusieron su nombre. Para entonces Neely ya no estaba; se había ido hacía tiempo sin intención de volver.

El motivo por el cual ahora regresaba no estaba del todo claro, pero en el fondo siempre había sabido que ese día llegaría, algún día futuro en que recibiría un aviso. Siempre había sabido que tarde o temprano Rake moriría, y obviamente se celebraría un funeral con cientos de ex jugadores apiñados alrededor del féretro, todos vestidos con el equipo verde de los Spartans, todos afligidos por la pérdida de la leyenda a quien tanto adoraban y tanto odiaban. Sin embargo, se había prometido a sí mismo muchas veces que nunca regresaría a El Campo mientras Rake viviera.

A lo lejos, por detrás de la tribuna de los visitantes, había dos campos de entrenamiento, y uno estaba iluminado. Era un lujo del que no disfrutaba ninguna otra escuela del estado, pero también era cierto que ninguna ciudad veneraba a su equipo de fútbol americano tanto ni tan en conjunto como Messina. Neely oyó el silbato de un entrenador y luego el impacto y los gruñidos al topar unos contra otros los jugadores del último equipo de los Spartans que se preparaba para el viernes por la noche. Cruzó la puerta y atravesó la pista, pintada de verde oscuro, cómo no.

El césped de la zona de anotación se veía tan bien cuidado que hasta podría jugarse al golf sobre él; no obstante, unas cuantas briznas salvajes iban alcanzando poco a poco los palos. También había un par de zonas llenas de hierbajos en una esquina y, ahora que lo había notado, Neely observó más de cerca y vio toda una franja sin recortar al borde de la pista. En los días gloriosos docenas de voluntarios se reunían todos los jueves por la tarde en El Campo, lo repasaban con las tijeras de podar y eliminaban todas y cada una de las hebras rebeldes.

Pero los días gloriosos habían tocado a su fin. Habían terminado con Rake. Ahora quienes jugaban al fútbol americano en Messina eran simples mortales y la ciudad ya no tenía de qué presumir.

Una vez, cuando era entrenador, Rake había insultado a gritos a un caballero bien vestido que había cometido el pecado de poner un pie en el sagrado césped Bermuda de El Campo. El caballero retrocedió rápidamente; luego continuó andando junto a la línea de banda, y al acercarse Rake advirtió que acababa de insultar nada menos que al alcalde de Messina. El alcalde se había ofendido, pero a Rake no le importaba. Nadie tenía derecho a pisar su campo. El alcalde, que no estaba acostumbrado a que le faltaran al respeto, puso en marcha una desacertada campaña para destituir a Rake que dejó a este indiferente. Los ciudadanos derrotaron al alcalde por cuatro a uno en cuanto su nombre apareció en la siguiente papeleta electoral.

En aquellos tiempos, Eddie Rake tenía más influencia que todos los políticos juntos, y la ejercía como la cosa más natural del mundo.

Neely se pegó a la línea de banda y, poco a poco, se dirigió a la tribuna local; a continuación se detuvo en seco y respiró hondo al notar que lo atenazaba la excitación previa al partido. Volvía a oír el remoto clamor de la multitud, una multitud muy apiñada allá arriba, en las gradas, y en pleno centro la banda interpretaba a todo volumen una de sus inacabables versiones del himno de guerra de los Spartans. En la línea de banda, a tan solo unos centímetros del lugar en que ahora se encontraba, vio al número 19, que practicaba nervioso ejercicios de calentamiento mientras la muchedumbre le rendía culto. El número 19 era un *all-American*, un estudiante de instituto que por su habilidad como jugador amateur había sido elegido para formar parte del equipo nacional honorífico, un quarterback minuciosamente seleccionado con un brazo de oro, unos pies muy veloces y una gran corpulencia, tal vez el mejor jugador del Messina de toda la historia.

El número 19 era Neely Crenshaw en otros tiempos.

Avanzó unos pasos junto a la línea de banda, se detuvo en la línea de cincuenta yardas, el lugar desde el cual Rake había dirigido cientos de partidos, y volvió a mirar las silenciosas gradas donde antiguamente diez mil personas se reunían los viernes por la noche para dar rienda suelta a sus emociones ante un equipo de fútbol americano formado por estudiantes de instituto.

Según había oído, ahora había la mitad de público que entonces.

Habían pasado quince años desde que el número 19 hiciera estremecer a tanta gente. Quince años desde que Neely jugara en el sagrado campo. ¿Cuántas veces se había prometido a sí mismo que jamás haría lo que estaba haciendo? ¿Cuántas veces había jurado que nunca regresaría?

En un campo de entrenamiento lejano un preparador hizo

sonar el silbato y alguien gritó, pero Neely apenas lo oyó. En vez de eso, oía el repiqueteo de los tambores de la banda, y la voz áspera e inolvidable del señor Bo Michael por los altavoces, y el fragor producido por el traqueteo de las gradas donde los hinchas saltaban sin cesar.

Y oyó a Rake gruñir y dar voces, si bien el entrenador pocas veces perdía los nervios en plena batalla.

Las animadoras andaban por allí arriba, dando brincos y cantando a coro con sus minifaldas, sus medias y sus piernas firmes y bronceadas. En aquella época Neely tenía dónde elegir.

Sus padres se sentaban cerca de la línea de cuarenta yardas, ocho filas por debajo de la cabina de prensa. Neely siempre saludaba a su madre con un gesto de la mano antes de cada saque inicial. Ella se pasaba todo el partido rezando, segura de que su hijo acabaría por romperse el cuello.

Los encargados de reclutar jugadores para los equipos universitarios tenían localidades en una fila de asientos con respaldo cerca de la línea de cincuenta yardas, en situación preferente. Alguien contó hasta treinta y ocho cazatalentos en el partido contra el Garnet Central, y todos estaban allí para observar al número 19. Más de cien universidades le habían escrito cartas; su padre aún las conservaba. Treinta y una le ofrecían becas que cubrían todos los gastos. Cuando Neely fichó por el Tech, hubo una rueda de prensa y la noticia apareció en los titulares.

Unas gradas con diez mil asientos para una ciudad de ocho mil habitantes. Los números nunca habían cuadrado. Sin embargo, sobre ella se abalanzaba gente de toda la provincia, gente procedente de puebluchos remotos donde los viernes por la noche no había nada mejor que hacer. Cobraban su paga, compraban cerveza y se desplazaban hasta la ciudad, hasta El Campo, donde se agolpaban formando una escandalosa cuadrilla en el extremo norte de las gradas y armaban más jaleo que los estudiantes, la banda y los seguidores locales juntos.

De pequeño, su padre velaba por mantenerlo alejado del extremo norte. «Los muy provincianos» se emborrachaban y a veces se enzarzaban en peleas y gritaban groserías a los árbitros. Unos años más tarde, el número 19 adoraba la algarabía de aquellos provincianos, y sin duda ellos también lo adoraban a él.

Ahora las gradas estaban en silencio, a la espera. Él avanzó despacio junto a la línea de banda, con las manos embutidas en los bolsillos, un héroe olvidado cuya estrella se había apagado muy rápidamente. El quarterback del Messina durante tres temporadas. Más de cien touchdowns. Nunca había perdido en ese campo. Las jugadas acudían a su mente a pesar de que se esforzaba por apartarlas. Aquellos días habían tocado a su fin, se dijo por enésima vez. Habían terminado hacía ya mucho tiempo.

En la zona de anotación del extremo sur, los socios habían instalado un marcador gigante, y alrededor de este unos paneles blancos con letras de un verde vivo relataban la historia del fútbol americano en Messina. Y, por ende, la historia de la ciudad. Temporadas sin una sola derrota en los años 1960 y 1961, cuando Rake aún no había cumplido los treinta. Luego, en 1964, empezó La Racha, con temporadas impresionantes durante el resto de la década y el inicio de la siguiente. En 1970, un mes después de que naciera Neely, el Messina perdió contra el South Wayne en el campeonato estatal y así terminó La Racha. Ochenta y cuatro victorias consecutivas, lo que en la época constituía un récord nacional, y Eddie Rake convertido en leyenda con tan solo treinta y nueve años.

El padre de Neely le había hablado del inefable abatimiento que se apoderó de la ciudad en los días posteriores a la derrota. Como si ochenta y cuatro victorias consecutivas no resultaran suficientes. Fue un invierno muy triste, pero Messina resistió. En la temporada siguiente, los chicos de Rake ganaron por trece a cero y arrebataron a South Wayne el título estatal de una paliza. A eso siguieron otras victorias estatales en los años 1974, 1975 y 1979.

Entonces llegó la sequía. Desde 1980 hasta 1987, el último año de Neely, todas las temporadas el Messina se mantenía invicto, ganaba sin esfuerzo los partidos de la conferencia y las eliminatorias, pero acababa por perder en las finales del estado. En Messina se respiraba malestar. Los ciudadanos reunidos en los cafés no estaban satisfechos. Los veteranos suspiraban por los días de La Racha. Un instituto de California ganó noventa partidos consecutivos y la ciudad de Messina en pleno se sintió ofendida.

A la izquierda del marcador, en letras blancas sobre fondo verde, se rendía homenaje a los más grandes héroes del Messina. Siete números habían sido retirados, y el último fue el 19 de Neely. A su lado estaba el 56 de Jesse Trapp, un apoyador que había jugado durante un corto período de tiempo en Miami antes de ingresar en prisión. En 1974 Rake había retirado el número 81, que pertenecía a Roman Armstead, el único de los Spartans de Messina que había llegado a jugar en la NFL.

Por detrás de la zona de anotación del extremo sur había un pabellón deportivo que cualquier pequeña facultad habría querido para sí. Contaba con una sala de pesas, taquillas y un vestuario para el equipo visitante con alfombra y duchas. También lo habían hecho construir los socios del club después de una intensa campaña para reunir fondos que duró un invierno entero y dejó a toda la ciudad sin blanca. No se escatimaban gastos por lo que respectaba al equipo de fútbol americano de los Spartans de Messina. El entrenador Rake quería pesas y taquillas y despachos para los entrenadores, y los socios del club prácticamente se olvidaron de la Navidad.

Neely reparó en algo distinto, algo que no había visto nunca antes. Nada más cruzar la puerta que conducía al pabellón deportivo había un monumento con una base de ladrillo y, sobre esta, un busto de bronce. Neely se acercó para verlo mejor. Era Rake, un Rake de gran tamaño con arrugas en la frente y el habitual gesto ceñudo de los ojos; y, no obstante, una sonrisa apenas perceptible. Llevaba la misma gorra raída de hacía décadas. Un Eddie Rake de bronce a sus cincuenta años, no el anciano de setenta. Debajo había una placa con una reluciente inscripción en la que se incluían los detalles que prácticamente cualquiera que anduviera por Messina podría referir de memoria: treinta y cuatro años como entrenador de los Spartans, 418 victorias, 62 derrotas, 13 títulos estatales, y de 1964 a 1970 una racha sin una sola derrota que terminó con el octogésimo cuarto partido.

Era un altar, y Neely se imaginó a los Spartans inclinándose ante él todos los viernes por la noche cuando se dirigían al campo.

El viento levantaba y esparcía las hojas frente a Neely. El entreno había terminado y los jugadores, sucios y sudorosos, andaban a rastras hacia el pabellón. No quería que lo vieran, así que descendió por la pista y se coló por una puerta. Subió hasta la fila treinta y se sentó solo en las gradas, en un sitio muy por encima de Rake Field con una buena vista del valle hacia el este. En la distancia, los chapiteles de las iglesias se erguían sobre los árboles dorados y escarlatas de Messina. El chapitel de más a la izquierda pertenecía a la iglesia metodista, y una manzana por detrás de esta, invisible desde las gradas, había una espléndida casa de dos plantas que la ciudad había regalado a Eddie Rake por su cincuenta cumpleaños.

En esa casa la señorita Lila y sus tres hijas se encontraban reunidas junto con el resto de la familia Rake, esperando a que el entrenador exhalara su último suspiro. Sin duda la casa estaría también llena de amigos, bandejas de comida cubrirían las mesas y se verían ramos de flores por todas partes.

¿Habría algún ex jugador? Neely no lo creía.

El siguiente coche que entró en el aparcamiento se detuvo cerca del de Neely. El Spartan en cuestión llevaba abrigo y corbata, y así como atravesó la pista con aire despreocupado, en cambio también evitó pisar el terreno de juego. Divisó a Neely y subió las gradas.

—¿Cuánto tiempo llevas aquí? —preguntó mientras se estrechaban la mano.

—No mucho —respondió Neely—. ¿Ha muerto?

—No, todavía no.

Paul Curry había recogido cuarenta y siete de los sesenta y tres pases de touchdown que Neely le lanzara durante sus tres años de carrera juntos. De Crenshaw a Curry, una y otra vez, prácticamente imparables. Habían sido cocapitanes. Habían sido buenos amigos pero se fueron distanciando con los años. Aún seguían telefoneándose tres o cuatro veces al año. El abuelo de Paul había fundado el primer banco de Messina, así que este tenía el futuro asegurado desde su nacimiento. Además se casó con una chica de otra de las familias pudientes de la ciudad. Neely fue el padrino de boda, y esa había sido su última visita a Messina.

—¿Qué tal la familia? —le preguntó Neely.

—Bien. Mona está embarazada.

—Cómo no. ¿Es el quinto o el sexto?

—Solo el cuarto.

Neely sacudió la cabeza. Se encontraban sentados a un metro de distancia, ambos miraban distraídamente a lo lejos, charlaban pero estaban preocupados. Procedente del pabellón, se oía el ruido de los coches y los camiones que empezaban a partir.

—¿Cómo está el equipo? —preguntó Neely.

—No les va mal, han ganado cuatro y han perdido dos. El entrenador es un tipo joven de Missouri. No me desagrada. El talento anda escaso.

—¿De Missouri?

—Sí, nadie habría aceptado el empleo en menos de mil quinientos kilómetros a la redonda.

Neely lo miró y dijo:

—Has engordado unos cuantos kilos.

—Soy banquero y miembro del Rotary Club, pero si nos echamos una carrera aún soy capaz de ganarte.

Paul se calló de golpe, lamentaba haber pronunciado las últimas palabras. La rodilla izquierda de Neely abultaba el doble que la derecha.

—Seguro que sí —respondió Neely con una sonrisa. No se había ofendido.

Observaron cómo los últimos coches y camiones se alejaban acelerando; la mayoría hacía chirriar los neumáticos, o por lo menos lo intentaba. Era una pequeña costumbre de los Spartans.

Luego volvió a reinar la quietud.

—¿Vienes por aquí alguna vez cuando no hay nadie? —preguntó Neely.

—Antes sí que lo hacía.

—¿Y paseas alrededor del campo mientras recuerdas cómo eran entonces las cosas?

—Solía hacerlo hasta que decidí que ya bastaba. Nos pasa a todos.

—Yo es la primera vez que vengo desde que retiraron mi número.

—Y aún no has dicho «basta». Sigues viviendo en aquellos tiempos, sigues soñando y comportándote como el quarterback promesa del instituto.

—Ojalá no hubiera visto un balón en mi vida.

—En esta ciudad no tenías elección. Rake nos colocó el uniforme cuando íbamos a sexto. Había cuatro equipos: el rojo, el azul, el dorado y el negro, ¿te acuerdas? No había ninguno verde porque todos nos moríamos por llevar una camiseta verde. Jugábamos los martes por la noche y teníamos más seguidores que la mayoría de los equipos de instituto. Aprendimos las mismas jugadas que Rake ordenaba los viernes por la noche. El mismo sistema. Soñábamos con ser Spartans y jugar ante diez mil fanáticos. Cuando llegamos a noveno, el propio Rake se encargaba de supervisar los entrenos y nos sabíamos de memoria las cuarenta jugadas que aparecían en su libro. Nos las sabíamos hasta dormidos.

—Yo todavía me las sé —dijo Neely.

—Y yo. ¿Recuerdas la vez que en el entreno nos hizo practicar el mismo movimiento dos horas seguidas?

—Sí, porque tú no hacías más que meter la pata.

—Luego tuvimos que correr por las gradas hasta que acabamos vomitando.

—Cosas de Rake —masculló Neely.

—Los años se te hacen eternos hasta que por fin logras lucir una camiseta de un equipo universitario; luego te conviertes en un héroe, un ídolo, un puto engreído porque en esta ciudad no está permitido cometer errores. Ganas una y otra vez y te conviertes en el rey de tu pequeño mundo. Y de repente, ¡plaf!, se jode todo. Juegas el último partido y todo el mundo se echa a llorar. No puedes creer que todo haya terminado. Después se forma un nuevo equipo y la gente te olvida.

—Hace mucho tiempo de eso.

—Quince años, colega. Cuando estudiaba en la universidad y volvía a casa para las vacaciones, siempre me mantenía alejado de este lugar. Ni siquiera pasaba cerca del instituto cuando iba en coche. Nunca volví a ver a Rake; no quería verlo. Entonces, una noche de verano, poco antes de regresar a la universidad, aproximadamente un mes antes de que lo echaran, me compré un pack de seis cervezas, me senté aquí arriba y me dediqué a repasar mentalmente todos los partidos. Estuve horas enteras. Nos veía marcando todos los tantos que nos daba la gana, metiendo caña. Fue fantástico. Luego me quedé hecho polvo porque todo había terminado, nuestros días de gloria se desvanecieron en un abrir y cerrar de ojos.

—¿Odiaste a Rake esa noche?

—No, lo adoré.

—Un día lo adorabas y al día siguiente lo odiabas.

—Nos pasaba a casi todos.

—¿Todavía estás resentido?

—Ya no. Después de casarme, mi mujer y yo nos compramos un abono de temporada y nos hicimos socios del club, como todo el mundo. Con el tiempo, me olvidé de que había sido un héroe y me convertí en un seguidor más.

—¿Vienes a todos los partidos?

Paul señaló hacia la izquierda.

—Claro. Hay una zona entera de las gradas que pertenece al banco.

—Buena falta te hace, con tanta familia.

—Mona es muy fértil.

—Es evidente. ¿Qué aspecto tiene?

—De embarazada.

—Ya me entiendes, quiero decir que si está en forma.

—¿Que si está gorda?

—Eso.

—No. Dedica dos horas al día a hacer ejercicio y solo come lechuga. Tiene un aspecto magnífico y le encantaría invitarte a cenar esta noche.

—¿Lechuga?

—Lo que tú quieras. ¿La llamo?

—No, aún no. Vamos a charlar un rato más.

Pero no tenían mucho más que decirse. Vieron que una furgoneta se detenía cerca de la puerta. El conductor era un hombre corpulento con unos tejanos desgastados, una gorra también de tela tejana, una barba muy poblada y una pierna coja. Rodeó la zona de anotación y avanzó por la pista, y al empezar a subir las gradas reparó en que Neely y Curry estaban sentados allí arriba, observando todos sus movimientos. Los saludó con un gesto de la cabeza, ascendió unas cuantas filas, se sentó y se quedó mirando el campo, solo y en silencio.

—Es Orley Short —dijo Paul cuando por fin logró asociar un nombre a aquel rostro—. De finales de los setenta.

—Ya lo recuerdo —respondió Neely—. El linebacker más lento de toda la historia.

—Y sin duda el mejor. De toda la conferencia, creo. Jugó

un año en una escuela universitaria y dejó el fútbol para dedicarse a cortar leña el resto de sus días.

—A Rake le encantaban los leñadores, ¿verdad?

—Como a todos. Cuatro leñadores en la defensa y el título de la conferencia estaba asegurado.

Otra furgoneta se detuvo junto a la primera, otro fornido caballero vestido con un peto y prendas tejanas se dirigió pesadamente hacia las gradas, saludó a Orley Short y se sentó a su lado. No parecía que hubieran concertado el encuentro.

—No lo sitúo —dijo Paul, esforzándose por identificar al segundo hombre y frustrado por no ser capaz de hacerlo.

Durante tres décadas y media, Rake había entrenado a cientos de chicos de Messina y del resto de la provincia. La mayoría no se había marchado nunca. Todos los jugadores de Rake se conocían. Formaban parte de un reducido círculo que había quedado sellado para siempre.

—Deberías volver por aquí más a menudo —opinó Paul cuando fue el momento de hablar de nuevo.

—¿Por qué?

—A la gente le gustaría verte.

—Puede que a mí no me apetezca ver a nadie.

—¿Por qué?

—No lo sé.

—¿Crees que aún te guardan rencor porque no ganaste el Heisman?

—No.

—Te recuerdan perfectamente, pero ya eres historia. Siguen considerándote su *all-American*, pero eso fue hace mucho tiempo. Ve a Renfrow's Café y verás que Maggie aún tiene tu enorme retrato sobre la caja registradora. Yo desayuno allí todos los jueves y, antes o después, un par de veteranos acaban discutiendo sobre quién fue el mejor quarterback del Messina, si Neely Crenshaw o Wally Webb. Webb fue la figura más destacada del equipo durante cuatro años, ganó cuarenta y seis partidos seguidos, nunca perdió, etcétera, etcétera. Pero Crenshaw jugó contra tipos de color y su juego era más rápido y más duro. Crenshaw fichó por el Tech pero Webb era demasiado bajito para jugar en primera división. Podrían pasarse así toda la vida. Siguen adorándote, Neely.

—Gracias, pero prefiero dejarlo.

—Como quieras.

—Eran otros tiempos.

—Vamos, deja ya de lamentarte y disfruta de los recuerdos.

—No puedo. Rake siempre está presente.

—Entonces ¿por qué has venido?

—No lo sé.

Se oyó sonar un teléfono oculto en algún lugar del elegante traje oscuro de Paul. Por fin lo encontró y respondió:

—Curry.

Una pausa.

—Estoy en el campo, con Crenshaw.

Otra pausa.

—Sí, está aquí, lo juro. Muy bien.

Paul colgó y guardó el teléfono en un bolsillo.

—Era Silo —le explicó—. Le he dicho que es posible que nos acompañes.

Neely sonrió y sacudió la cabeza al recordar a Silo Mooney.

—No he vuelto a verlo desde que nos sacamos el bachillerato.

—Haz memoria. Él no se lo sacó.

—Es verdad. Se me había olvidado.

—Tuvo un pequeño problema con la policía. Lo trincaron en el control de cuatro sustancias prohibidas. Su padre lo echó de casa un mes antes de terminar el curso.

—Ahora me acuerdo.

—Se quedó a vivir unas cuantas semanas en el sótano de Rake y luego se alistó en el ejército.

—¿Qué hace ahora?

—Bueno, digamos que lleva una pintoresca carrera. Lo

echaron del ejército por conducta deshonrosa, anduvo unos años dando tumbos por ahí con un camión, se cansó del trabajo honrado y volvió a Messina, y luego se dedicó a pasar droga hasta que le pegaron un tiro.

—Deduzco que no apuntaron bien.

—Se salvó por los pelos. Entonces trató de enmendarse. Le presté cinco mil dólares para comprar la vieja zapatería de Franklin y se convirtió en empresario. Pero decidió rebajar el precio de los zapatos a la vez que doblaba el sueldo a los empleados y en un año quebró. Fue vendedor de parcelas de cementerio, de coches de segunda mano y de autocaravanas. Después le perdí la pista durante un tiempo. Un día entró en el banco y pagó todas sus deudas en metálico. Me dijo que finalmente había dado con una mina.

—¿En Messina?

—Sí. No se cómo se las apañó para apoderarse de la chatarrería del viejo Joslin, al este de la ciudad. Arregló una nave y en la parte delantera regenta un taller de reparaciones completamente legal. De lo más lucrativo. En la parte trasera ha montado un desguace especializado en furgonetas robadas. Eso sí que es lucrativo.

—No te lo habrá contado él.

—No, lo del desguace no. Pero le llevo las cuentas bancarias, y en un sitio como este resulta difícil mantener las cosas en secreto. Se trae entre manos un negocio con una banda de ladrones que operan en las Carolinas, y desde allí le envían las camionetas robadas. Él las desmonta y traslada las piezas. Todo lo cobra en metálico, y por lo visto no le entra poco.

—¿Lo sabe la policía?

—Aún no, pero todos los que tienen tratos con él están a la expectativa. Seguro que cualquier día aparecerá el FBI con una citación. Yo, por si acaso, lo tengo todo preparado.

—Típico de Silo —dijo Neely.

—Menudo desastre. Bebe como un cosaco, está hecho un

braguetero y anda por todas partes despilfarrando dinero. Parece que tenga diez años más.

—No se por qué no me sorprende. ¿Aún va de pelea en pelea?

—No para. Ten cuidado con lo que dices de Rake. Nadie lo adora tanto como Silo. Iría a por ti.

—No te preocupes.

Como jugaba de centro en el ataque y de noseguard en la defensa, Silo Mooney dominó el centro de todos los campos en los que jugó. Medía poco menos de un metro ochenta y su constitución recordaba mucho a un silo. Todo en él era macizo: el pecho, la cintura, las piernas, los brazos. Empezó junto con Neely y Paul, y jugó tres años. A diferencia de los otros dos, Silo solía cometer unas tres faltas personales por partido. Una vez cometió cuatro, una en cada cuarto. Lo expulsaron dos veces por propinar patadas en la entrepierna a los jugadores de línea del equipo contrario. Solo vivía para ver sangrar a los pobres muchachos enfrentados a él.

—Por fin le he hecho sangre a ese hijo de puta —se le oía gruñir en la reunión, casi siempre hacia el final del primer tiempo—. No acabará el partido.

—Mátalo ya —le respondía Neely, azuzando a un perro rabioso. Un línea menos en la defensa le facilitaba mucho el trabajo.

Ningún jugador del Messina había recibido nunca tantos y tan violentos insultos del entrenador Rake como Silo Mooney. Porque nadie los merecía en igual medida. Nadie parecía implorar el maltrato verbal tanto como Silo.

En el extremo norte de las gradas, por debajo de la zona donde en otra época los escandalosos provincianos armaran tanto follón, un hombre algo mayor subió en silencio hasta la última fila y se sentó. Se encontraba demasiado lejos para poder identificarlo, y era evidente que quería estar solo. Se quedó mirando el campo y pronto se sumió en sus recuerdos.

La primera persona que acudía a hacer footing entró en la

pista y empezó a moverse lentamente en sentido contrario a las agujas del reloj. Era el momento del día en que muchos aficionados a correr o a caminar se dejaban caer y daban unas cuantas vueltas al campo. Rake nunca habría permitido semejante estupidez, pero desde que lo despidieran había surgido un movimiento partidario de abrir la pista a quienes estuvieran dispuestos a pagar por utilizarla. Un encargado de mantenimiento solía andar por allí y vigilar que nadie se atreviera a poner un pie en el césped de Rake Field. No había modo de hacerlo.

—¿Dónde está Floyd? —preguntó Rake.

—Sigue en Nashville, tocando la guitarra y componiendo bodrios. Aún persigue su sueño.

—¿Y Ontario?

—Él vive aquí, trabaja en correos. Takita y él tienen tres hijos. Ella es profesora y sigue tan agradable como siempre. Van a la iglesia cinco veces por semana.

—¿Aún sonríe tanto?

—Sí.

—¿Y Denny?

—También anda por aquí. Da clases de química justo aquí al lado, en ese edificio. No se pierde ni un partido.

—¿Tú estudiaste química?

—No.

—Yo tampoco. Siempre sacaba sobresalientes, y eso que no tocaba un libro.

—No te hacía falta. Eras el *all-American*.

—¿Y Jesse? ¿Sigue en la cárcel?

—Ya lo creo. Y aún estará allí un tiempo.

—¿Dónde está?

—En Buford. Veo a su madre de vez en cuando y siempre le pregunto por él. Ella se echa a llorar, pero no puedo evitar sacar el tema.

—¿Se habrá enterado de lo de Rake? —dijo Neely.

Paul se encogió de hombros y sacudió la cabeza, y hubo

otra pausa en la conversación al observar a un anciano que se esforzaba por seguir su dolorosa marcha por la pista. Tras él iban dos jóvenes mujeronas que gastaban más energía en hablar que en caminar.

—¿Llegaste a enterarte de la verdadera razón de que Jesse fichara por el Miami? —preguntó Neely.

—No. Se oyeron muchos comentarios sobre el dinero, pero Jesse no me contó nada.

—¿Recuerdas la reacción de Rake?

—Sí, quería matar a Jesse. Me parece que le había hecho alguna promesa al encargado de los fichajes del A&M.

—Rake siempre quería entregar él mismo a los mejores jugadores —dijo Neely con aire experimentado—. A mí me quería en el State.

—Es a donde deberías haber ido.

—Ya no vale la pena hablar de eso.

—¿Por qué fichaste por el Tech?

—Me gustaba el entrenador del quarterback.

—Vamos, a nadie le gustaba el entrenador del quarterback. ¿Cuál fue el auténtico motivo?

—¿De verdad quieres saberlo?

—Sí, después de quince años me gustaría saber la verdad.

—Cincuenta mil dólares en metálico.

—No.

—Sí. El State me ofrecía cuarenta, el A&M treinta y cinco, y unos pocos más estaban dispuestos a pagar veinte.

—Nunca me lo contaste.

—No se lo había contado a nadie hasta ahora. Fue un pequeño chanchullo.

—¿El Tech te pagó cincuenta mil dólares en negro? —preguntó Paul despacio.

—Quinientos billetes de cien dólares, guardados en una bolsa de lona roja sin nombre. Me los dejaron en el maletero una noche, mientras yo estaba en el cine con Screamer. A la mañana siguiente, firmé por el Tech.

—¿Se lo contaste a tus padres?

—¿Estás loco? Mi padre habría avisado a la NCAA.

—¿Por qué lo aceptaste?

—Vamos, Paul, no me seas primo. Todas las universidades ofrecían dinero negro. Formaba parte del juego.

—No soy ningún primo, solo es que no me esperaba una cosa así de ti.

—¿Por qué? Podía fichar por el Tech y no cobrar nada o aceptar el dinero. Para un panoli de dieciocho años, cobrar cincuenta mil dólares es como ganar la lotería.

—Aun así...

—Todos los encargados de reclutar jugadores ofrecían dinero negro, Paul; todos sin excepción. Yo creía que formaba parte del negocio.

—¿Dónde lo escondiste?

—Un poco por aquí, un poco por allá. Cuando llegué al Tech, me compré un coche nuevo y lo pagué a toca teja. No duró mucho.

—¿Y tus padres no sospecharon nada?

—Sí, pero yo me pasaba la vida en la universidad y no podían tenerme siempre controlado.

—¿No ahorraste nada?

—¿Para qué ahorrar cuando se tiene una nómina?

—¿Qué nómina?

Neely se removió en el asiento y dirigió una mirada de complacencia a Paul.

—No me trates como si fuera idiota, gilipollas. Por extraño que parezca, la mayoría de nosotros no hemos jugado nunca en primera división.

—¿Recuerdas el Gator Bowl de mi primer año?

—Claro. Toda Messina vio el partido.

—Dejé el banquillo en el segundo tiempo, lancé tres touchdowns, hice una carrera de cien yardas y ganamos el partido gracias a un pase en el último segundo. Pensé: «Ha nacido una estrella, soy el principiante más grande de todo el país», y que si tal, y que si cual. Cuando entré en la escuela encontré un paquetito en mi taquilla. Cinco mil dólares contantes y sonantes. La nota decía: «Bien jugado. Sigue así». Era anónima. El mensaje estaba claro: Sigue ganando partidos y seguirás recibiendo dinero. Por eso no tenía ningún interés en ahorrar.

La camioneta de Silo lucía una pintura hecha de encargo, una peculiar mezcla de oro y rojo. Las ruedas eran de un plateado brillante, y las ventanillas, negras como el carbón.

—Ahí está —dijo Paul cuando el vehículo se detuvo cerca de la puerta.

—¿Qué especie de coche lleva? —preguntó Neely.

—Seguro que es robado.

El propio Silo parecía hecho de encargo. Llevaba una bomber de piel de la Segunda Guerra Mundial, tejanos negros y botas negras. No había perdido peso, ni tampoco lo había ganado, y al avanzar despacio por el borde del campo vieron que seguía teniendo todo el aspecto de un nose tackle. Eran los andares de un Spartan de Messina; casi un pavoneo, casi un desafío a que alguien se atreviera a pronunciar una sola palabra inconveniente. Silo aún era muy capaz de ponerse las hombreras, golpear el balón y derramar sangre.

En vez de eso, se quedó mirando algo en medio del campo. Tal vez fuera él mismo años atrás, tal vez hubiera oído a Rake hablándole a voz en cuello. Fuera lo que fuese lo que Silo había visto u oído, hizo que se detuviera unos instantes en la línea de banda; luego, subió los escalones con las manos embutidas en los bolsillos de su cazadora. Cuando llegó junto a Neely, estaba sin aliento. Abrazó fuerte al quarterback y le preguntó dónde se había metido durante los últimos quince años. Intercambiaron palabras de bienvenida e insultos. Había tanta materia que tratar que ninguno quería ser el primero.

Se sentaron los tres en la misma fila y se quedaron mirando a otro corredor que se acercaba cojeando. Silo estaba apagado, y cuando habló lo hizo con un hilo de voz.

—¿Dónde vives ahora?

—Cerca de Orlando —respondió Neely.

—¿A qué te dedicas?

—Soy corredor de fincas.

—¿Tienes familia?

—No, me divorcié. ¿Y tú?

—Bueno, seguro que tengo muchos hijos pero no los conozco. No me he casado nunca. ¿Te ganas bien la vida?

—Voy tirando. No aparezco en la lista de *Forbes*.

—Pues yo el año que viene tengo intención de arrasar —soltó Silo.

—¿Qué clase de negocio tienes? —preguntó Neely mientras miraba a Paul.

—De piezas de automóvil —respondió Silo—. Esta tarde he pasado por casa de Rake. La señorita Lila y las chicas están allí, junto con los nietos y los vecinos. La casa está a tope, todos allí sentados esperando a que Rake muera.

—¿Lo has visto? —preguntó Paul.

—No. Está en la parte de atrás, con una enfermera. Según la señorita Lila, él no quería que nadie lo viera en sus últimos momentos. Dice que parece un saco de huesos.

La idea de que Eddie Rake yaciera a oscuras en una cama, con una enfermera al lado contando los minutos, enfrió la conversación durante un buen rato. Hasta el día en que lo despidieron, el entrenador andaba por el campo con sus botas y sus pantalones cortos, siempre dispuesto a demostrar cómo se ponía en práctica un buen bloqueo o cuáles eran las sutilezas del brazo rígido. A Rake le encantaba entrar en contacto físico con sus jugadores, pero no precisamente para darles una palmadita en la espalda cuando se lucían. Le gustaba pegar, y no daba por terminado ningún entreno hasta que lanzaba airado su carpeta al suelo y agarraba a alguien por las hombreras. Cuanto más grande, mejor. Cuando practicaban jugadas de bloqueo y las cosas no salían a su gusto, se acuclillaba en una posición de tres puntos perfecta, lanzaba el balón y arrollaba a un tackle defensivo, uno que pesara veinte kilos más que él y llevara puesto el equipo completo, protectores opcionales incluidos. Todos los jugadores del Messina habían visto a Rake, en uno de sus peores días, abalanzarse contra un corredor y derribarlo de un golpe brutal. Adoraba la violencia del fútbol americano y la exigía a todos sus jugadores.

En treinta y cuatro años como entrenador principal, Rake solo había dejado fuera de combate a dos jugadores en el campo. La primera ocasión había sido una pelea a puñetazo limpio a finales de los sesenta entre el propio entrenador y un exaltado que había dejado el equipo y andaba buscando bronca, y con Rake la tenía asegurada. La segunda había sido un golpe injustificado que aterrizó en el rostro de Neely Crenshaw.

Resultaba inconcebible que se hubiera vuelto un viejo decrépito que luchaba por la última bocanada de aire.

—Yo estaba en Filipinas —dijo Silo bajito, pero tenía la voz ronca y el límpido aire la transmitía con claridad—. Trabajaba como vigilante en los lavabos de los oficiales, y lo detestaba con toda mi alma. Nunca te vi jugar en un equipo universitario.

—No te perdiste gran cosa —dijo Neely.

—Más tarde llegó a mis oídos que eras un fenómeno. Luego te lesionaste.

—Jugué algunos partidos interesantes.

—Cuando estaba en segundo, fue el jugador nacional de la semana —explicó Paul—. Lanzó seis touchdowns contra el Purdue.

—Fue una rodilla, ¿verdad? —se interesó Silo.

—Sí.

—¿Cómo ocurrió?

—Me desplacé lateralmente para hacer un roll out, aferré el balón y me eché a correr; había un apoyador y no lo vi.

Por el tono en que Neely relató el episodio, se deducía que ya lo había hecho mil veces y no tenía ningunas ganas de repetirlo.

Silo se había roto el ligamento cruzado anterior jugando a *spring football* y había sobrevivido. Sabía de qué iba lo de la rodilla.

—¿Tuvieron que operarte y todo eso? —preguntó.

—Cuatro veces —respondió Neely—. Rotura completa de ligamento y la rótula destrozada.

—Así, ¿te dieron con el casco?

—El linebacker fue directo a por la rodilla en cuanto Neely puso un pie fuera del terreno de juego —explicó Paul—. Salió muchísimas veces por televisión. Un comentarista tuvo el coraje de llamarlo «un golpe a destiempo». Era el A&M, ¿qué más puedo decir?

—Debió de dolerte un huevo.

—Ya lo creo.

—Fue a buscarlo una ambulancia y las calles de Messina se deshacían en lágrimas.

—Estoy seguro de que es verdad —dijo Silo—. De todos modos, esta ciudad se altera por cualquier cosa. ¿La rehabilitación no fue bien?

—Por desgracia, fue una de esas lesiones que pone fin a la carrera de quien la sufre —explicó Neely—. La fisioterapia solo sirvió para empeorar las cosas. Desde el momento en que aferré el balón y me eché a correr, estuve listo. Tendría que haberme quedado detrás del bolsillo de protección, tal como me habían enseñado en los entrenamientos.

—Rake no te dijo nunca que te quedaras detrás del bolsillo de protección.

—A ese nivel se juega de otra forma, Silo.

—Ya, son unos burros. A mí no quisieron ficharme, y podría haberlo hecho muy bien. Probablemente habría sido el primer nose tackle que ganara el Heisman.

—No lo dudo —dijo Paul.

—En el Tech, todo el mundo lo sabía —explicó Neely—. Todos los jugadores me preguntaban constantemente: «¿Dónde está el gran Silo Mooney? ¿Por qué no lo hemos fichado?».

—Qué forma de desperdiciar el talento —dijo Paul—. A estas alturas, todavía jugarías en la NFL.

—Probablemente con los Packers —repuso Silo—. Ganando montones de dólares. Las chavalas vendrían a buscarme a casa. Qué vida.

—¿No quería Rake enviarte a una escuela universitaria? —preguntó Neely.

—Sí, iba a ir, pero no me dejaron terminar el instituto.

—¿Cómo conseguiste entrar en el ejército?

—Mintiendo.

No cabía duda de que Silo había mentido para entrar en el ejército, y posiblemente también para salir.

—Necesito una cerveza —dijo—. ¿A vosotros os apetece?

—Yo paso —respondió Paul—. Pronto tendré que marcharme a casa.

—¿Y tú?

—Una cerveza me va bien —dijo Neely.

—¿Te quedarás aquí un rato? —preguntó Silo.

—Puede ser.

—Yo también. Ahora me parece el sitio más adecuado.

La Maratón de los Spartans era una tortura anual creada por Rake para inaugurar la temporada. Se celebraba el primer día de entrenamiento del mes de agosto, siempre al mediodía, cuando hacía más calor. Todos los aspirantes a jugar en un equipo universitario se dirigían a la pista ataviados con pantalones cortos y zapatillas deportivas, y cuando Rake tocaba el silbato iniciaban las vueltas.

El procedimiento era sencillo: se trataba de correr hasta caer rendido. El mínimo eran doce vueltas. Todo jugador incapaz de completarlas tenía la oportunidad de repetir la maratón al día siguiente, y si volvía a fallar se consideraba no apto para formar parte de los Spartans de Messina. Todo estudiante de instituto que jugara al fútbol americano y no pudiera correr cinco kilómetros no tenía nada que hacer en el campo por mucha protección que llevara.

Los ayudantes del entrenador se sentaban en la cabina de prensa con su aire acondicionado y contaban las vueltas. Rake andaba de una zona de anotación a la otra contemplando a los corredores, bramando si era necesario, descalificando a quienes iban demasiado lentos. La velocidad no era un requisito, a menos que algún jugador caminara en lugar de correr, en cuyo caso Rake lo expulsaba de la pista. Cuando un jugador abandonaba la pista, perdía el conocimiento o era descalificado por cualquier otro motivo, Rake lo obligaba a sentarse en mitad del campo y asarse a pleno sol hasta que no quedaba nadie más en pie. Había muy pocas reglas, y una consistía en la expulsión inmediata si un jugador vomitaba en la pista. Vomitar estaba permitido, y de hecho ocurría muchas veces, pero cuando el jugador en cuestión había terminado de hacerlo, siempre fuera de la pista, se esperaba que volviera a tomar parte en la carrera.

De todo el amplio repertorio de duros métodos de preparación de Rake, la maratón era con mucho el más temido. A lo largo de los años había llevado a algunos jóvenes de Messina a dedicarse a otros deportes, o incluso a abandonar por completo el ejercicio físico. Si se hacía mención de la prueba a cualquier jugador de la ciudad alrededor del mes de julio, a este de repente se le ponía un nudo en el estómago y se le secaba la boca. A principios de agosto, casi todos los jugadores corrían ocho kilómetros diarios para prepararse.

A consecuencia de la maratón, todos los Spartans tenían fama de conservarse en perfecta forma física. No era raro que un fornido jugador de línea perdiera diez o quince kilos durante el verano, y ni su novia ni su condición física tenían nada que ver. Perdía peso para poder sobrevivir a la Maratón de los Spartans. Una vez pasada, podía volver a comer, aunque resultaba difícil ganar peso cuando se dedicaban tres horas diarias a entrenarse en el campo.

De todos modos, al entrenador Rake no le gustaban los

jugadores de línea demasiado corpulentos. Prefería a los canallas como Silo Mooney.

En el último año de instituto, Neely llegó a correr treinta y una vueltas, casi trece kilómetros, y cuando cayó sobre el césped haciendo arcadas oyó que Rake lo insultaba desde el otro extremo del campo. Paul había corrido más de quince kilómetros ese año, treinta y ocho vueltas, y había ganado la carrera. Todos los Spartans recordaban dos números: el de su camiseta y el de las vueltas que había completado en la Maratón.

Después de que la lesión de la rodilla rebajara su estatus y lo convirtiera en un mero estudiante más del Tech, Neely se encontraba en un bar cuando una compañera del instituto lo reconoció.

—¿Has oído la noticia de Messina? —le dijo la chica.

—¿Qué noticia? —preguntó Neely, sin un ápice de interés por nada que tuviera que ver con su ciudad natal.

—Han batido un nuevo récord en la Maratón de los Spartans.

—¿En serio?

—Sí, ochenta y tres vueltas.

Neely repitió lo que la chica acababa de decir, echó cuentas y dijo:

—Eso son casi treinta y tres kilómetros.

—Sí.

—¿Quién ha sido?

—Un tal Jaeger.

Solo en Messina los rumores incluían las últimas cifras de los entrenos de agosto.

En esos momentos Randy Jaeger estaba subiendo las gradas; llevaba su camiseta verde del equipo con el número 5 de color blanco ribeteado de plata, embutida en los tejanos. Era menudo, de cintura muy delgada, sin duda un receptor de pies veloces y un tiempo impresionante en la carrera de las cuarenta yardas. Primero reconoció a Paul, y al acercarse vio a Neely. Se detuvo tres filas más abajo y dijo:

—Neely Crenshaw.

—El mismo —respondió Neely.

Se estrecharon la mano. Paul conocía bien a Jaeger porque, tal como la conversación reveló enseguida, la familia de Randy regentaba un centro comercial al norte de la ciudad y, como todo el mundo en Messina, tenían la cuenta en el banco de Paul.

—¿Sabéis algo de Rake? —preguntó Jaeger, situándose en la fila de detrás e inclinándose entre ambos.

—No gran cosa. Sigue aguantando —dijo Paul con gravedad.

—¿Cuándo terminaste tú? —pregunto Neely.

—En el noventa y tres.

—Y a él lo echaron en…

—En el noventa y dos, durante mi último curso. Yo era uno de los capitanes.

Hubo un denso silencio mientras la historia del cese de Rake desaparecía de la conversación tal como había llegado, sin más comentarios. En aquel entonces Neely estaba vagando por el oeste de Canadá, preso del canguelo propio de haber terminado los estudios universitarios que en su caso duró casi cinco años, y se había perdido el drama. Con el tiempo llegaron a sus oídos algunos comentarios, pero él trató de autoconvencerse de que lo que le sucediera a Eddie Rake le traía sin cuidado.

—¿Corriste ochenta y tres vueltas? —preguntó Neely.

—Sí, en mil novecientos noventa, cuando estaba en segundo.

—¿Y aún es el récord?

—Sí. ¿Cuántas vueltas diste tú?

—Treinta y una, en mi último año. Ochenta y tres son muchas, cuesta creerlo.

—Tuve suerte. Estaba nublado y hacía fresco.

—¿Y cuántas dio el segundo?

—Cuarenta y cinco, creo.

—A mí no me parece cuestión de suerte. ¿Jugaste en algún equipo universitario?

—No. Pesaba cincuenta y nueve kilos, con protectores incluidos.

—Fue el mejor jugador del estado dos años seguidos —explicó Paul—. Y aún posee el récord de yardas de retorno. Pero su mamá no consiguió hacerlo engordar.

—Tengo una pregunta —dijo Neely—. Yo di treinta y una vueltas y me desplomé del dolor. Entonces Rake me insultó como a un perro. ¿Qué te dijo a ti exactamente cuándo terminaste con ochenta y tres?

Paul soltó un gruñido e hizo una mueca porque ya conocía la historia. Jaeger sacudió la cabeza y sonrió.

—Lo típico —dijo—. Cuando terminé, se me acercó y soltó en voz alta: «Te creía capaz de llegar a cien». Por supuesto, lo hizo por miramiento a los demás jugadores. Más tarde, en el vestuario, me confesó bajito que me había portado como un valiente.

Dos de los corredores de footing dejaron la pista y subieron unas cuantas filas, luego se sentaron en solitario y contemplaron el campo. Tenían unos cincuenta años, la piel bronceada y buena forma física, y llevaban unas zapatillas deportivas muy caras.

—El tipo de la derecha es Blanchard Teague —dijo Paul, ansioso por demostrar que conocía a todo el mundo—. El óptico de la familia. El de la izquierda es Jon Couch, un abogado. Jugaron a finales de los sesenta, durante La Racha.

—O sea, que no perdieron ningún partido —dedujo Jaeger.

—Exacto. De hecho, al equipo del sesenta y ocho no llegaron a marcarle ningún tanto. Doce partidos, y en los doce dejaron al contrario con el marcador a cero. Y esos dos tipos estaban allí.

—Impresionante —exclamó Jaeger, verdaderamente impresionado.

—Eso fue antes de que nosotros naciéramos —observó Paul.

Costaba unos instantes digerir toda una temporada sin

anotaciones. El óptico y el abogado conversaban enfrascados, sin duda rememoraban sus gloriosos logros durante La Racha.

—En el periódico publicaron un reportaje sobre Rake unos años después de que lo echaran —dijo Paul en voz baja—. Incluía los datos habituales, pero añadía que en treinta y cuatro años había entrenado a setecientos catorce jugadores. Ese era el titular: «Eddie Rake y los Setecientos Spartans».

—Yo también lo leí —dijo Jaeger.

—Me pregunto cuántos asistirán al funeral —comentó Paul.

—Casi todos.

La idea que Silo tenía de tomar unas cervezas incluía dos cajas enteras de botellas y dos tipos más que lo ayudaran a tomárselas. De su furgoneta bajaron tres hombres. Silo iba en cabeza con una caja de Budweiser al hombro y una botella en la mano.

—Madre mía —exclamó Paul.

—¿Quién es el flaco? —preguntó Neely.

—Creo que es Hubcap.

—¿Hubcap no estaba en la cárcel?

—Entra y sale.

—El otro es Amos Kelso —explicó Jaeger—. Jugó conmigo.

Amos transportaba la otra caja de cerveza, y mientras los tres subían las gradas con paso decidido, Silo invitó a Orley Short y a su amigo a unirse a ellos. No lo dudaron. Luego Silo llamó a gritos a Teague y a Couch, y también estos subieron hasta la fila treinta, donde Neely, Paul y Randy Jaeger se encontraban sentados.

Cuando todos se hubieron presentado y hubieron destapado las botellas, Orley formuló una pregunta general.

—¿Cuáles son las últimas noticias sobre Rake?

—Que no puede hacerse nada más que esperar —respondió Paul.

—Yo he pasado por su casa esta tarde —dijo Couch con gravedad—. Es cuestión de tiempo.

Couch se daba unos aires de abogado importante que desagradaron a Neely de inmediato. Entonces Teague, el óptico, soltó una perorata sobre los últimos detalles del cáncer de Rake.

Era prácticamente de noche. Los corredores habían abandonado la pista. En la penumbra, vieron que un hombre alto y desgarbado salía del pabellón del club y se dirigía lentamente hacia los postes metálicos que sostenían el marcador.

—No será Rabbit, ¿verdad? —preguntó Neely.

—Claro que lo es —respondió Paul—. Él no se marchará nunca.

—¿Qué título se ha sacado?

—No necesita ninguno.

—A mí me daba clases de historia —dijo Teague.

—A mí de matemáticas —dijo Couch.

Rabbit llevaba once años dando clases cuando descubrieron que ni siquiera había terminado el bachillerato. A causa del escándalo, lo echaron de la escuela, pero Rake tomó parte en el asunto y consiguió que lo designaran ayudante del director deportivo. Un puesto así en el instituto Messina implicaba limitarse a recibir órdenes de Rake. Rabbit conducía el autocar del equipo, limpiaba los uniformes, se encargaba del mantenimiento de las instalaciones y, lo más importante, tenía a Rake al día de todos los cotilleos.

Los focos del campo estaban instalados en cuatro postes, dos a cada lado. Rabbit accionó un interruptor. Las luces del extremo sur del lado de los visitantes se encendieron, diez regletas con diez focos cada una. Sombras alargadas se proyectaron sobre el campo.

—Lleva una semana haciendo eso —explicó Paul—. Rabbit deja las luces encendidas toda la noche. Es su forma de velar a Rake. Cuando muera, las apagará.

Rabbit se retiró tambaleándose al pabellón del club para pasar la noche.

—¿Sigue viviendo ahí? —quiso saber Neely.

—Sí. Tiene una cama plegable en el desván, encima de la sala de pesas. Se llama a sí mismo «el vigilante nocturno». Está loco de remate.

—Era buenísimo dando clases de matemáticas —opinó Couch.

—Tiene suerte de poder caminar —dijo Paul, y todos se echaron a reír.

Rabbit había quedado medio lisiado como consecuencia de un partido jugado en 1981, cuando por razones que ni siquiera él mismo se explicaba, había saltado al campo desde la línea de banda y se había interpuesto en el camino de un tal Lightning Loyd, un fuerte y veloz corredor que más tarde jugó en el Auburn pero que esa noche jugaba con el Greene County, y muy bien, por cierto. Corría el final del tercer cuarto y el marcador indicaba empate; entonces Loyd se escapó e inició lo que parecía ser una larga carrera de touchdown. Los dos equipos habían llegado invictos a aquel punto. El partido había transcurrido muy tenso, y obviamente Rabbit sucumbió a la presión. Ante el horror —y el regocijo— de diez mil fieles del Messina, el flacucho y delicado Rabbit se lanzó al terreno de juego y, en algún punto cercano a la línea de treinta y cinco yardas, chocó con Lightning. Así como el impacto fue casi letal para Rabbit, que por aquel entonces tenía al menos cuarenta años, dejó a Loyd prácticamente ileso. Como un insecto contra el parabrisas.

Rabbit llevaba pantalones militares, una sudadera verde de los Spartans, una gorra también verde que salió volando y fue a parar a diez metros de distancia y unas puntiagudas botas camperas, de las cuales la izquierda saltó y empezó a dar vueltas a su antojo mientras Rabbit se elevaba por los aires. Hasta los espectadores de la fila treinta aseguraron haber oído el chasquido de sus huesos al partirse.

Si Lightning hubiera proseguido su escapada, la controversia habría resultado considerablemente menor. Pero el pobre muchacho quedó tan sorprendido que solo pudo volver la cabeza para mirar a quién y qué acababa de arrollar, y al hacerlo perdió el equilibrio. En su caída recorrió quince metros, y para cuando aterrizó en algún punto cercano a la línea de veinte yardas el campo estaba cubierto de pañuelos amarillos.

Mientras los entrenadores se precipitaban en tropel junto a Rabbit y discutían si avisar a una ambulancia o al cura, los árbitros dieron por bueno el touchdown a favor del Greene County, una decisión con la que en principio Rake se mostró en desacuerdo pero que acabó acatando. Estaba tan conmocionado como los demás, y también preocupado por Rabbit, que no había movido ni un músculo desde que cayera al suelo.

Tardaron veinte minutos en levantarlo, colocarlo con cuidado en una camilla y transportarlo hasta una ambulancia. Mientras esta se alejaba, diez mil hinchas del Messina se pusieron en pie y empezaron a aplaudir en señal de respeto. La gente del Greene County, sin saber si unirse a los aplausos o iniciar un abucheo, permanecía sentada y en silencio, tratando de asimilar lo que acababa de presenciar. Habían conseguido su touchdown, pero aquel pobre idiota parecía muerto.

Rake, que se pintaba solo para motivar al personal, aprovechó el receso para instigar a sus tropas.

—¡Rabbit juega más duro que vosotros, payasos! —gruñó a su defensa—. ¡Vamos a dar unas cuantas patadas en el culo y llevarle el balón a Rabbit!

El Messina marcó tres touchdowns en el último cuarto y ganó sin problema.

Rabbit sobrevivió. Se rompió la clavícula y tres vértebras lumbares. La conmoción cerebral no fue grave, y los que lo conocían bien aseguraban no haber notado daños adicionales. Ni que decirse tiene que Rabbit se convirtió en un héroe local. En los subsiguientes banquetes anuales del equipo, Rake siempre otorgaba un Trofeo Rabbit al mejor golpe del año.

La luz de los focos se intensificó al hacerse completamente de noche. Los ojos de quienes se encontraban en Rake Field se acomodaron a la oscuridad semiiluminada del campo. Otro pequeño grupo de Spartans había aparecido en el extremo opuesto de las gradas. Sus voces eran apenas audibles.

Silo destapó otra botella y se bebió la mitad de un trago.

—¿Cuándo viste a Rake por última vez? —preguntó Blanchard Teague a Neely.

—Un par de días después de la primera operación —respondió Neely, y todos guardaron silencio. Iba a contar algo que en Messina se desconocía hasta ese momento—. Yo estaba en el hospital. Llevaba una operación, y me esperaban tres más.

—Fue un golpe bajo —masculló Couch, como si Neely necesitara apoyo.

—Ya lo creo —convino Amos Kelso.

Neely se imaginaba a la gente, apiñada en los cafés de Main Street, recordando con la cara larga y la voz apagada el último golpe que arruinó al instante la carrera de su *all-American*. Una enfermera le dijo que nunca había visto semejante derroche de compasión: postales, flores, bombones, globos, manualidades hechas por clases enteras de alumnos de primaria. Todo procedente de la pequeña ciudad de Messina, a tres horas de distancia. Aparte de sus padres y de los entrenadores del Tech, Neely se negaba a recibir visitas. Durante ochenta interminables días se sumió en la autocompasión, con gran ayuda de todos los calmantes que los médicos le permitían tomar.

Una noche Rake se coló en la habitación mucho después de que finalizara el horario de visita.

—Trató de animarme —prosiguió Neely, mientras daba un sorbo de cerveza—. Me dijo que las rodillas se recuperaban con rehabilitación. Yo quise creerle.

—¿Mencionó el campeonato del ochenta y siete? —preguntó Silo.

—Estuvimos hablando de eso.

Se hizo un largo y violento silencio mientras pensaban en

aquel partido y todos los misterios que lo rodearon. Fue el último título del Messina, y solo eso ya proporcionaba bastante material para años enteros de análisis. A medio partido, perdiendo por treinta y uno a cero, maltratados y aplastados por un equipo de East Pike infinitamente superior, los Spartans regresaron al campo del A&M donde los esperaban treinta y cinco mil aficionados. Rake no estaba; no apareció hasta el final del último cuarto.

La verdad sobre lo ocurrido había permanecido oculta durante quince años y, evidentemente, ni Neely, ni Silo, ni Paul, ni Hubcap Taylor pensaban romper el silencio.

En la habitación del hospital, Rake finalmente se había disculpado, pero Neely no se lo había contado a nadie.

Teague y Couch se despidieron y, alejándose a paso ligero, se perdieron en la oscuridad.

—Nunca regresaste, ¿verdad? —preguntó Jaeger.

—Después de la lesión, no —respondió Neely.

—¿Por qué?

—No me apetecía.

Mientras, Hubcap se había dedicado a vaciar medio litro de una bebida mucho más fuerte que la cerveza. No había dicho casi nada y cuando habló tenía la voz pastosa.

—Dicen que odiabas a Rake.

—No es cierto.

—Y que él te odiaba a ti.

—Rake tenía un problema con las estrellas —terció Paul—. Todos lo sabíamos. Si ganabas demasiados premios, si superabas demasiados récords, Rake se ponía celoso. Así de simple. Nos adiestraba como si fuéramos perros y quería que todos llegáramos a ser grandes, pero cuando un tipo como Neely atraía toda la atención, Rake se ponía celoso.

—Yo no lo creo —gruñó Orley Short.

—Es cierto. Además siempre quería ser él quien entregara a los mejores jugadores al equipo universitario que le placiera. Quería que Neely fuera al State.

—A mí quería enviarme al ejército —dijo Silo.

—Tuviste suerte de no ir a la cárcel —soltó Paul.

—La historia aún no ha terminado —respondió Silo entre risas.

Otro coche se detuvo junto a la entrada y apagó los faros. La puerta no se abrió.

—La cárcel no se valora lo suficiente —dijo Hubcap, y todos se echaron a reír.

—Rake tenía a sus preferidos —dijo Neely—. Y yo no era uno de ellos.

—Entonces ¿por qué estás aquí? —quiso saber Orley Short.

—No estoy seguro. Por la misma razón que vosotros, supongo.

Durante su primer año en el Tech, Neely había regresado a Messina para el partido de bienvenida. En una ceremonia que tuvo lugar durante el medio tiempo, retiraron el número 19. La ovación que le ofreció el público duró y duró, y acabó por retrasar el saque de inicio del segundo tiempo, lo cual costó cinco yardas a los Spartans e hizo que el entrenador Rake, en cabeza por 28-0, empezara a gritar.

Fue el único partido que Neely había visto desde que se marchara. Un año después, ingresaba en el hospital.

—¿Cuándo colocaron ahí el busto de bronce de Rake? —preguntó.

—Un par de años después de que lo echaran —respondió Jaeguer—. Los socios del club reunieron diez mil dólares y lo encargaron. Querían ofrecérselo como obsequio antes de un partido, pero él se negó.

—Así, ¿no volvió nunca?

—Más o menos. —Jaeger señaló una montaña a lo lejos, por detrás del pabellón del club—. Antes de cada partido, se montaba en su coche, iba a Karr's Hill y aparcaba en uno de los caminos de grava. La señorita Lila y él se sentaban allí, miraban abajo y escuchaban a Buck Coffey por la radio. Estaba demasiado lejos para ver nada, pero se aseguraba de que la ciudad supiera que seguía observando. Al final de cada mitad, la banda se situaba de cara a la montaña y tocaba el himno de guerra, y los diez mil espectadores sin excepción saludaban a Rake.

—Era muy guay —comentó Amos Kelso.

—Rake sabía todo lo que se guisaba —dijo Paul—. Rabbit lo llamaba dos veces al día y le contaba todos los chismes.

—¿Estaba recluido? —se extrañó Neely.

—Se dejaba ver poco —puntualizó Amos—. Por lo menos, durante los tres o cuatro primeros años. Se rumoreó que iba a marcharse de aquí, pero ya sabes que aquí los rumores no quieren decir nada. Todas las mañanas iba a misa, pero en Messina se reúne muy poca gente en la iglesia.

—Durante los últimos años, salía más —dijo Paul—. Empezó a jugar al golf.

—¿Se le veía resentido?

Todos se quedaron pensativos ante la pregunta.

—Sí, sí que estaba resentido —opinó Jaeger.

—Yo no lo creo —dijo Paul—, más bien se sentía culpable.

—La gente dice que lo enterrarán al lado de Scotty —explicó Amos.

—Yo también lo he oído —dijo Silo, meditabundo.

Se oyó cerrarse de golpe la puerta de un coche y una figura apareció en la pista. Un hombre fornido que llevaba puesto una especie de uniforme rodeó el campo con paso arrogante y se acercó a las gradas.

—Tenemos problemas —masculló Amos.

—Es Mal Brown —dijo Silo en voz baja.

—Nuestro ilustre sheriff —explicó Paul a Neely.

—¿El número Treinta y uno?

—El mismo.

El número 19 de la camiseta de Neely había sido el último que retiraran. El número 31 había sido el primero. Mal Brown había jugado a mediados de los sesenta, durante La Racha.

Con treinta y cinco años y treinta y cinco kilos menos, había sido un durísimo tailback que una vez llegó a llevar el balón cincuenta y cuatro veces en un mismo partido, lo que en el Messina seguía constituyendo un récord. Un precipitado matrimonio había acabado con su carrera universitaria antes de empezarla, y un precipitado divorcio lo envió a Vietnam a tiempo para la ofensiva Tet de 1968. Neely recordaba haber oído hablar del gran Mal Brown durante prácticamente toda su infancia. Una vez, durante el primer año de Neely, el entrenador Rake se acercó antes de un partido para dirigirles un sermoncito de aliento. Relató con todo detalle cómo Mal Brown había corrido doscientas yardas en el segundo tiempo del campeonato de la conferencia, ¡a pesar de haberse roto el tobillo!

Rake adoraba las historias de jugadores que se negaban a abandonar el campo aun con huesos rotos, heridas abiertas y todo tipo de horribles lesiones.

Años más tarde, Neely oyó que era más que probable que el tobillo roto de Mal hubiera consistido más bien en una mala torcedura, pero a medida que pasaba el tiempo la leyenda estaba cada vez más arraigada, por lo menos en la memoria de Rake.

El sheriff caminó por delante de las gradas y se dedicó a pasar el tiempo charlando con unos y otros; luego, subió hasta la fila treinta y llegó, casi sin aliento, junto al grupo del que Neely formaba parte. Habló con Paul, después con Amos, Silo, Orley, Hubcap y Randy; a todos los conocía por el nombre de pila o el apodo.

—He oído que estabas en la ciudad —dijo a Neely cuando se estrecharon la mano—. Hacía mucho tiempo que no venías por aquí.

—Mucho tiempo —fue lo único que Neely pudo pronunciar. Que él recordara, hasta entonces no había visto nunca a Mal Brown en persona. Cuando él vivía en Messina, Mal no era sheriff. Neely conocía la leyenda pero no al hombre.

No importaba. Ambos eran miembros del círculo.

—Ya es de noche, Silo. ¿Cómo es que no estás robando coches? —ironizó Mal.

—Aún es temprano.

—Voy a trincarte, ¿lo sabes?

—Tengo abogados.

—Dame una cerveza. No estoy de servicio. —Silo le tendió una botella y Mal se la bebió de un trago—. Acabo de salir de casa de Rake —explicó, mientras chascaba los labios como si llevara días enteros sin probar los líquidos—. Todo sigue igual. No queda más que esperar a que nos deje.

Las últimas noticias fueron recibidas sin comentarios.

—¿Dónde te escondías? —preguntó Mal a Neely.

—En ninguna parte.

—No mientas. Nadie de la ciudad te había visto en diez años, o puede que más.

—Mis padres se jubilaron y se marcharon a Florida. No tenía ningún motivo para volver.

—Este es el lugar en el que te criaste. Es tu casa. ¿No te parece suficiente motivo?

—Para ti tal vez lo sea.

—Ni para ti ni leches. Tienes muchos amigos aquí. No está bien desaparecer así.

—Tómate otra cerveza, Mal —lo invitó Paul.

Rápidamente, Silo le pasó una botella y Mal la atrapó. Al cabo de un minuto preguntó:

—¿Tienes hijos?

—No.

—¿Cómo está tu rodilla?

—Hecha una mierda.

—Lo siento. —Un largo trago—. Menudo golpe bajo. Estabas claramente fuera del terreno de juego.

—Tendría que haberme quedado detrás del bolsillo de protección —dijo Neely, y se removió incómodo en el asiento deseoso de cambiar de tema. ¿Durante cuánto tiempo más se hablaría en Messina del golpe bajo que había arruinado su carrera?

Otro largo trago, y luego Mal dijo en voz baja:

—Eras el mejor, tío.

—Vamos a hablar de otra cosa —propuso Neely. Llevaba allí casi tres horas y de pronto le entraron muchas ganas de marcharse, aunque no tenía ni idea de adónde ir. Dos horas antes Paul Curry le había ofrecido cenar en su casa con Mona, pero no había vuelto a comentar nada más sobre el tema.

—Vale. ¿De qué?

—De Rake —propuso Neely—. ¿Cuál fue su peor equipo?

Todos los botellines se alzaron a la vez mientras meditaban sobre ello.

Mal fue el primero en hablar.

—Perdió cuatro partidos en el setenta y seis. La señorita Lila asegura que se recluyó durante todo el invierno. Dejó de ir a misa. No se le veía en público. Obligó al equipo a seguir un programa de preparación brutal, los tuvo el verano entero corriendo como si fueran perros, en agosto los hacía entrenar tres veces al día. Pero cuando en el setenta y siete lanzaron el primer saque de la temporada, el equipo era otro. Casi ganan el título del estado.

—¿Cómo es que Rake perdió cuatro partidos en una misma temporada? —preguntó Neely.

Mal se reclinó y apoyó la espalda en la fila de atrás. Dio un trago. Era con mucho el más antiguo de los Spartans presentes, y, puesto que no se había perdido un solo partido en treinta años, tenía la palabra.

—Bueno, en primer lugar, el equipo no tenía ningún talento. El precio de la madera se disparó en el verano del setenta y seis y los leñadores se marcharon. Ya sabes cómo son. Luego, el quarterback se rompió el brazo y no tenía sustituto. Ese año jugamos contra el Harrisburg y no lanzamos ni un pase. Es duro cuando en cada jugada envían a los once. Fue un desastre.

—¿Harrisburg nos ganó? —preguntó Neely sin dar crédito.

—Sí, la única vez en los últimos cuarenta y un años. Y deja que te cuente lo que hicieron los muy cabrones. Faltaba poco para que terminara el partido, iban ganando con un marcador alucinante, treinta y seis a cero o algo así. Fue la peor noche de toda la historia del fútbol en Messina. Creían que habían salido airosos de la triste rivalidad que manteníamos y decidieron hacer saltar el marcador. A pocos minutos del final, van y hacen un pase de reverso en tercera y corto. Otro touchdown. Estaban como locos, ya sabes, por fin machacaban a los Spartans de Messina. Rake mantuvo la calma; luego lo escribió todo con sangre en alguna parte y se dedicó a buscar leñadores. Al año siguiente, jugábamos contra Harrisburg en casa; los espectadores eran muchos y estaban muy furiosos. Marcamos siete touchdowns en el primer tiempo.

—Recuerdo ese partido —dijo Paul—. Yo estaba en primero. Cuarenta y ocho a cero.

—Cuarenta y siete —precisó Mal con orgullo—. Anotamos cuatro veces en el tercer cuarto, y Rake seguía pasando el balón. No podía sustituir a ningún jugador porque no tenía a nadie en el banquillo, pero mantuvo el balón en el aire.

—¿Y cómo quedasteis al final? —se interesó Neely.

—Noventa y cuatro a cero. Sigue siendo el récord del Messina. Que yo sepa, la única vez que Eddie Rake ha hecho subir el marcador tan rápido.

El otro grupo del extremo norte estalló en carcajadas. Uno de ellos acababa de contar una historia, sin duda sobre Rake o algún antiguo partido. Silo había permanecido muy callado desde que apareciera el representante de la ley, y cuando le pareció oportuno dijo:

—Bueno, tengo que marcharme. Si sabes algo más de Rake, llámame, Curry.

—Lo haré.

—Hasta mañana —dijo Silo al resto mientras se ponía en pie, se estiraba y alcanzaba una última cerveza.

—Necesito que alguien me lleve —dijo Hubcap.

—¿Ya es la hora, Silo? —preguntó Mal—. ¿Es ahora cuando los buenos ladrones salen de su madriguera?

—Voy a cerrar el negocio unos días —anunció Silo—. Por respeto al entrenador Rake.

—Qué tierno. Pues entonces aprovecharé para concederles unos días libres a los del turno de noche.

—Hazlo, Mal.

Silo, Hubcap y Amos Kelso bajaron las gradas con paso lento y los escalones metálicos traquetearon.

—Antes de que pase un año estará en la cárcel —aseguró Mal mientras los observaban alejarse por el tramo de pista posterior a la zona de anotación.

—Encárgate de que en el banco todo esté limpio, Curry.

—No te preocupes.

Neely ya había oído bastante. Se puso en pie y dijo:

—Yo también me voy.

—Pensaba que ibas a venir a cenar a casa —se sorprendió Paul.

—No tengo hambre. ¿Qué tal si lo dejamos para mañana?

—A Mona le sabrá mal.

—Dile que me guarde las sobras. Buenas noches, Mal, Randy. Seguro que pronto volveremos a vernos.

Notaba la rodilla entumecida y, al bajar con cuidado los escalones, trató por todos los medios de no cojear, de no hacer el mínimo gesto que delatara que ya no era aquel a quien recordaban. Cuando estuvo en la pista, por detrás del banquillo de los Spartans, se volvió demasiado deprisa y la rodilla estuvo a punto de fallarle. Cedió y se tambaleó a la vez que pequeñísimos pinchazos atacaban una docena de puntos diferentes. Como le ocurría muy a menudo, Neely sabía bien cómo levantar la pierna lo justo para cambiar todo el peso a la derecha y seguir caminando como si tal cosa.

Miércoles

En los escaparates de todas las tiendas de la plaza de Messina se veía un gran calendario de color verde con los partidos de fútbol americano, como si los clientes y los ciudadanos en general necesitaran ayuda para recordar que los Spartans jugaban todos los viernes por la noche. Y en cada una de las farolas que había frente a las tiendas aparecía una bandera verde y blanca que se izaba a finales de agosto y se descolgaba cuando acababa la temporada. Neely recordaba aquellas banderas de la época en que recorría las calles en bicicleta. Nada había cambiado. Los grandes calendarios verdes eran iguales todos los años: los partidos impresos en negrita, rodeados por los sonrientes rostros de los jugadores pertenecientes al último curso; al pie se alineaban pequeños anuncios de los patrocinadores locales, que incluían absolutamente todos los establecimientos de Messina. Ninguno quedaba fuera del calendario.

Al entrar en Renfrow's Café justo detrás de Paul, Neely respiró hondo y se dijo que debía sonreír y ser amable; a fin de cuentas, esa gente fue admiradora suya en otros tiempos. El fuerte olor de los fritos lo azotó nada más cruzar la puerta; luego oyó el ruido distante de los cacharros. Los olores y los ruidos de Renfrow's eran los mismos de la época en que su padre solía llevarlo a tomar chocolate deshecho los sábados por la mañana, los mismos del lugar donde los ciudadanos revivían y repasaban la última victoria de los Spartans.

Durante la temporada, cada jugador podía comer un día a la semana gratis en Renfrow's, un gesto sencillo y generoso que tuvo que pasar una dura prueba poco después de que el instituto entrara en el programa de integración racial. ¿Tendría Renfrow's la misma deferencia con los jugadores de color? «Ya lo creo», fueron las palabras de Eddie Rake, y el café se convirtió en uno de los primeros del estado en integrarse voluntariamente.

Paul habló con la mayoría de los hombres apiñados sobre sus tazas de café, pero siguió avanzando hasta un reservado cerca de la ventana. Neely iba saludando con la cabeza a la vez que trataba de evitar el contacto visual. Para cuando se deslizaron en sus asientos, el secreto se había divulgado. Era cierto: Neely Crenshaw había regresado a la ciudad.

Las paredes estaban cubiertas de antiguos calendarios de encuentros, noticias de periódicos enmarcadas, banderines, camisetas con autógrafos y cientos de fotos: fotos del equipo alineadas en perfecto orden cronológico y colgadas sobre la barra, tomas en plena acción recortadas del periódico local y enormes retratos en blanco y negro de los más grandes Spartans. El de Neely se encontraba sobre la caja registradora, una foto tomada durante su último año en la que posaba con el balón, atento y listo para efectuar un disparo, sin casco, sin sonrisa, todo profesionalidad y presunción y ego, con su melena rebelde, su barba de tres días y su cutis cubierto de pelusilla, la mirada perdida en la distancia, sin duda soñando con la futura gloria.

—Te dabas unos aires… —soltó Paul.

—Parece que fuera ayer, aunque por otra parte parece un sueño.

En el centro de la pared más larga había un santuario dedicado a Eddie Rake: una gran fotografía suya en color en la que aparecía junto a los palos; y bajo esta, su historial: 418 victorias, 62 derrotas y 13 títulos estatales.

Según los rumores matutinos, Rake seguía aferrándose a la

vida. Y la ciudad seguía aferrándose a él. El tono de las conversaciones era apagado: no se oían risas, ni chistes, ni pesados relatos de perseguidos triunfos, ni ninguna de las habituales discusiones por cuestiones políticas.

Una camarera menuda con un uniforme verde y blanco les sirvió café y tomó nota de sus menús. Conocía a Paul, pero no identificó al tipo que lo acompañaba.

—¿Sigue Maggie por aquí? —preguntó Neely.

—Está en un geriátrico —respondió Paul.

Maggie Renfrow había servido café hervido y huevos aceitosos durante décadas. También se había dedicado sin descanso a traer y llevar todos los chismorreos y rumores posibles sobre el equipo de los Spartans. Como ofrecía comidas gratis a los jugadores, había conseguido lo que toda Messina había intentado: codearse con los chicos y con su entrenador.

Un caballero se les acercó y saludó a Neely con una torpe inclinación de cabeza.

—Solo quería saludarle —dijo, tendiéndole la mano derecha—. Me alegro de volver a verle, después de tanto tiempo. Fue alguien muy importante en esta ciudad.

Neely le estrechó la mano y respondió:

—Gracias.

Pero enseguida lo soltó y apartó la vista. El caballero captó la indirecta y se retiró. Nadie más siguió su iniciativa.

Unos pocos lo miraron de soslayo y otros cuantos le clavaron los ojos incomodándolo, pero la mayoría se dio por contenta con encorvarse sobre la taza e ignorarlo. Después de todo, él llevaba quince años ignorándolos a ellos. Los héroes de Messina eran de su pertenencia y se suponía que debían participar de la nostalgia.

—¿Cuándo viste a Screamer por última vez? —preguntó Paul.

Neely soltó un resoplido y se volvió hacia la ventana.

—No he vuelto a verla desde la universidad.

—¿No sabes nada de ella?

—Hace años me envió una carta. El papel y el sobre eran de alguna elegante papelería de Hollywood. Me contaba que estaba causando sensación en la ciudad y que pronto sería más famosa de lo que nunca me habría imaginado llegar a ser yo. Maldita la gracia. No le respondí.

—Se dejó caer cuando celebramos el décimo aniversario —explicó Paul—. Una actriz sin más cualidades que la melena rubia y las bonitas piernas, vestida de una forma que aquí no se ha visto nunca. Un verdadero producto cinematográfico. Se las daba de conocer a gente importante por aquí y por allá; que si este productor, que si aquel director, que si una sarta de actores de los que yo no había oído hablar jamás. Me dio la impresión de que pasaba más tiempo en la cama que delante de la cámara.

—Screamer es así.

—Qué te voy a contar.

—¿Qué aspecto tenía?

—Se la veía consumida.

—¿Os dijo en qué películas había trabajado?

—Nos dio unos cuantos títulos, pero los cambiaba continuamente. Más tarde comparamos lo que cada uno había anotado y nadie había visto ninguna de las películas. Todo fue puro teatro. Screamer es así. Solo que ahora se llama Tessa. Tessa Canyon.

—¿Tessa Canyon?

—Sí.

—Suena a actriz porno.

—Me parece que su carrera iba enfocada hacia ahí.

—Pobre chica.

—¿Pobre chica? —repitió Paul—. Es una idiota rematada que solo se mira el ombligo, y su único mérito es haber sido la novia de Neely Crenshaw.

—Vale, pero qué piernas.

Ambos sonrieron durante un buen rato. La camarera les llevó las crepes y las salchichas y les sirvió más café. Mientras

Paul llenaba su plato de jarabe de arce, empezó a hablar de nuevo.

—Hace dos años se celebró un importante congreso de banqueros en Las Vegas. Mona me acompañó. Como se aburría, se marchó a la habitación. Yo también acabé por aburrirme y fui a dar un paseo por la Strip. Era noche cerrada y decidí entrar en uno de los viejos casinos, y ¿adivinas a quién vi?

—A Tessa Canyon.

—Andaba por allí sirviendo copas; una camarera vestida con uno de esos trajes ajustados que bajan mucho por delante y suben mucho por detrás. Iba teñida de rubio platino, demasiado maquillada, y le sobraban unos diez kilos. Ella no me vio, así que la observé unos minutos. Parecía tener más de treinta años. Y lo peor era cómo se comportaba. Al acercarse a los clientes en las mesas, les sonreía y ponía esa melosa vocecilla que parece decir: «Llévame arriba». Las típicas bromitas fáciles. Los contoneos y frotamientos. Flirteaba descaradamente con una panda de borrachos. La típica mujer desesperada por que la amen.

—Yo hice todo lo que pude.

—Es una desgraciada.

—Por eso la dejé. No vendrá al funeral, ¿verdad?

—Puede que sí. Si sabe que tiene alguna posibilidad de encontrarte, seguro que viene. Aunque por otra parte, no es que tenga muy buen aspecto, y para ella la apariencia lo es todo.

—¿Aún viven aquí sus padres?

—Sí.

Un hombre rechoncho con una gorra John Deere se acercó a la mesa con cautela, como si estuviera invadiendo su territorio.

—Solo quería saludarte, Neely —dijo, casi con una reverencia—. Soy Tim Nunley, del taller de Ford —explicó, tendiéndole la mano como con miedo de que lo ignorara. Neely se la estrechó y sonrió—. Me ocupaba de los coches de tu padre.

—Ya me acuerdo de usted —mintió Neely. Pero la mentira mereció la pena. La sonrisa del señor Nunley se hizo el doble de amplia, y el hombre le estrechó la mano con más fuerza.

—Lo suponía —dijo el señor Nunley, y se volvió hacia su mesa para demostrar que tenía razón—. Me alegro de verte por aquí de nuevo. Eras el mejor.

—Gracias —respondió Neely, soltándole la mano y asiendo el tenedor. El señor Nunley retrocedió, aún parecía a punto de hacerle una reverencia. Luego recogió su abrigo y salió del restaurante.

Las conversaciones seguían siendo quedas, como si ya hubiera empezado el velatorio. Paul tragó un bocado y hundió la cabeza en el plato.

—Hace cuatro años tuvimos un buen equipo. Ganamos los primeros nueve partidos. Ni una sola derrota. Un viernes por la mañana, día de partido, estaba aquí sentado comiendo lo mismo que como ahora y todo el mundo hablaba de La Racha; te lo juro. Pero no de la antigua racha, sino de otra. La gente esperaba una nueva racha. No querían una temporada llena de victorias, ni ganar un título de conferencia, ni siquiera un campeonato estatal. Todo eso son minucias. En esta ciudad la gente quiere ganar ochenta, noventa, o incluso cien partidos seguidos.

Neely dio un vistazo rápido alrededor y se centró de nuevo en su desayuno.

—Nunca lo he comprendido —confesó—. Esta gente es buena gente. Son mecánicos, camioneros, corredores de seguros, albañiles; puede que haya algún abogado y algún banquero. Son personas responsables que viven en una pequeña ciudad, pero no se comen el mundo. Me refiero a que en esta ciudad no hay millonarios. Sin embargo, se creen con derecho a ganar un campeonato estatal todos los años, ¿verdad?

—Verdad.

—Pues no lo entiendo.

—Quieren tener algo de que presumir. ¿De qué si no?

—No me sorprende que adoren a Rake. Fue él quien puso la ciudad en el mapa.

—Come un poco —dijo Paul.

Un hombre que llevaba un sucio delantal se les acercó con una carpeta de papel Manila en las manos. Se presentó como el hermano de Maggie Renfrow y actual cocinero, y abrió la carpeta. Dentro había una fotografía de veinte por veinticinco, a todo color y enmarcada en la que aparecía Neely jugando con el Tech.

—Maggie siempre ha querido que se la firmaras —explicó.

Era una fantástica toma en plena acción con Neely agachado detrás del centro ordenando una jugada, a punto para el snap, vigilando a la defensa. En la esquina inferior derecha se apreciaba un casco de color morado, y Neely reparó en que el equipo contrario era el A&M. La fotografía, que hasta ese momento no había visto nunca, estaba tomada minutos antes de lesionarse.

—Claro —dijo, tomando el rotulador negro que le ofrecía el cocinero.

Firmó con su nombre en la parte superior y se quedó un rato mirando a los ojos al joven y audaz quarterback, a la estrella que aguardaba en la universidad el momento propicio mientras la NFL esperaba. Recordó los gritos de los seguidores del Tech: setenta y cinco mil personas impacientes por la victoria, orgullosas de su invicto equipo, entusiasmadas de tener como quarterback, por primera vez en muchos años, a todo un *all-American*.

De repente, sintió nostalgia de aquellos tiempos.

—Bonita foto —consiguió pronunciar mientras la devolvía al cocinero, quien de inmediato la fijó con un clavo debajo del retrato de mayor tamaño de Neely—. Vámonos de aquí —dijo, enjugándose la boca.

Dejó un poco de dinero sobre la mesa y se dispusieron a salir a toda prisa. Iba saludando con la cabeza y sonriendo con cortesía a los clientes habituales, y consiguió escapar sin que lo pararan.

—¿Por qué te pone tan nervioso esa gente? —preguntó Paul cuando estuvieron en la calle.

—No quiero hablar de fútbol, ¿entendido? No quiero volver a oír lo bueno que era.

Circularon en coche por las silenciosas calles que rodeaban la plaza y pasaron por delante de la iglesia donde bautizaron a Neely, y por delante de la iglesia donde se casó Paul, y por delante del espléndido dúplex de Tenth Street donde Neely vivió desde los ocho años hasta que se marchara al Tech. Sus padres lo habían vendido a un yanqui genuino que se había trasladado a la ciudad para dirigir la fábrica de papel de la zona oeste. Pasaron por delante a casa de Rake, a poca velocidad, como si desde allí pudieran oír las últimas noticias. La calle estaba abarrotada de coches, la mayoría lucía matrículas de otros estados; imaginaron que pertenecían a los familiares y amigos íntimos de Rake. Pasaron por delante del parque donde solían jugar los partidos de béisbol de la Little League y los de fútbol americano de la Pop Warner.

Y recordaron anécdotas. Una que en Messina se había convertido en auténtica leyenda iba, cómo no, sobre Rake. Neely, Paul y unos cuantos de sus compañeros estaban jugando un turbulento partido de fútbol americano de barrio cuando repararon en un hombre que, situado junto a la malla de protección del campo de béisbol, los observaba atentamente desde la distancia. Cuando terminaron, se les acercó y se presentó como el entrenador Eddie Rake. Los chicos se quedaron sin habla.

—Tienes un buen brazo, hijo —había dicho a Neely, quien fue incapaz de responder nada—. Y también me gustan tus pies. —Todos los chicos miraron los pies de Neely—. ¿Tu madre es igual de alta que tu padre? —había preguntado el entrenador Rake.

—Casi —consiguió balbucir Neely.

—Muy bien. Serás un buen quarterback en los Spartans.

Luego Rake había sonreído a los chicos y se había alejado. Neely tenía entonces once años.

Se detuvieron en el cementerio.

La proximidad de la temporada de 1992 tenía muy preocupada a Messina. El año anterior, el equipo había perdido tres partidos, un desastre municipal que arrancó reniegos sobre los bollos servidos en el Renfrow's, los platos revenidos de las comilonas del Rotary Club y las jarras de cerveza barata consumidas en los garitos de las afueras. Y eso que en aquel equipo había pocos estudiantes del último año, lo que siempre era una mala señal. Resultaba tranquilizador que los jugadores débiles se graduaran.

Si Rake se sentía presionado, desde luego no lo demostraba. Para entonces llevaba más de tres décadas entrenando a los Spartans y había visto de todo. Había obtenido el último título estatal, el decimotercero, en 1987; o sea, que los ciudadanos llevaban tres años sufriendo la sequía. No obstante, habían pasado por momentos peores. Estaban muy mal acostumbrados y ansiaban cien victorias consecutivas, pero a Rake, después de treinta y cuatro años, no le importaba lo que ellos ansiaran.

El equipo del noventa y dos tenía poco talento, todo el mundo lo sabía. La única figura destacada era Randy Jaeger, que jugaba de esquinero y de receptor abierto y capturaba todo lo que el quarterback lanzara cerca, lo cual no era gran cosa.

En una ciudad de la magnitud de Messina, el talento era cíclico. Cuando abundaba, como en 1978 con Neely, Silo, Paul, Alonzo Taylor y cuatro fieros leñadores en la defensa, el marcador siempre mostraba una gran diferencia entre las puntuaciones. No obstante, la grandeza de Rake residía en su capacidad de ganar con jugadores menudos y lentos. Aun con escaso talento seguía obteniendo una gran diferencia en el marcador. Pero a los jugadores más flojos los hacía trabajar más, y pocos equipos habían visto un arrebato como el que Rake exhibió en el campo en agosto de 1992.

Después de un mal partido de entrenamiento un sábado por la tarde, Rake arremetió contra el equipo y convocó un entreno el domingo por la mañana, cosa que no solía hacer porque años atrás le había costado disputas con la gente de misa. Los convocó a las ocho en punto, así quienes quisieran tendrían tiempo de asistir al culto, si es que eran capaces. A Rake le molestaba en particular lo que él consideraba una falta de preparación, lo cual resultaba grotesco puesto que todos los equipos de Messina practicaban los esprints a cientos.

Pantalones cortos, hombreras, zapatillas deportivas y casco; nada de contacto, solo preparación. Ya a las ocho de la mañana la temperatura era de treinta y dos grados, había mucha humedad y en el cielo no se veía ni una nube. Practicaron estiramientos y corrieron un kilómetro y medio por la pista, solo como calentamiento. Todos los jugadores estaban empapados en sudor cuando Rake los mandó correr un kilómetro y medio más.

La segunda prueba de la terrible lista de torturas, inmediatamente después de la Maratón, era el asalto a las gradas. Todos los jugadores sabían en qué consistía, por eso cuando Rake gritó «Gradas», la mitad del equipo pensó en renunciar.

Situados detrás de Randy Jaeger, el capitán, los jugadores formaron con reserva una larga y única fila y empezaron a correr a marcha lenta por la pista. Cuando la fila se acercó a la tribuna de los visitantes, Jaeger torció hacia una puerta, la cruzó y empezó a subir las gradas; veinte filas; recorrió la última junto a la barandilla superior; bajó las veinte filas y pasó al siguiente sector. Después, los ocho sectores del otro lado y vuelta a la pista para rodear la zona de anotación y volver a la mitad local del campo. Subió cincuenta filas, recorrió la última junto a la barandilla superior, bajó las cincuenta filas; arriba y abajo, arriba y abajo, arriba y abajo, ocho secciones más; luego, otra vez a la pista para iniciar otra vuelta.

Después de la extenuante primera vuelta, los jugadores de línea se habían dispersado al final de la fila mientras Jaeger, que podría correr eternamente, destacaba en cabeza. Rake se paseaba por la pista refunfuñando, con el silbato colgado al cuello, gritando a los rezagados. Adoraba el sonido de las pisadas de cincuenta jugadores que subían y bajaban las gradas.

—No estáis en forma, chicos —decía justo lo bastante alto para que lo oyeran—. Sois lo más lento que he visto en la vida —refunfuñaba, de nuevo en un tono apenas audible. Rake tenía fama de refunfuñón, y sus quejas siempre se oían.

Tras la segunda vuelta, un tackle cayó sobre el césped y empezó a vomitar. Los jugadores más fuertes se iban moviendo cada vez más lentamente.

Scotty Reardon era un estudiante de segundo curso que jugaba en los equipos especiales y que ese mes de agosto pesaba sesenta y cuatro kilos; en cambio, cuando le hicieron la autopsia pesaba cincuenta y ocho. En la tercera vuelta a las gradas, se desplomó entre la tercera y la cuarta fila de la mitad local del campo y nunca más recobró el conocimiento.

Puesto que era domingo por la mañana y la sesión no incluía contacto, los dos preparadores físicos se encontraban ausentes a petición de Rake. Tampoco había cerca ninguna ambulancia. Los chicos explicaron más tarde cómo Rake sostenía la cabeza de Scotty en su regazo mientras aguardaban una eternidad hasta oír la sirena. Pero el chico murió en las gradas, y por tanto ya estaba muerto cuando finalmente ingresó en el hospital. Una insolación.

Paul contó la historia a Neely mientras ambos paseaban por los sinuosos y sombríos caminos del cementerio de Messina. En una zona nueva construida en la ladera de una empinada colina, las lápidas eran más pequeñas y las hileras se veían más despejadas. Paul se situó frente a una de las lápidas y asintió, y Neely se arrodilló a mirar. RANDALL SCOTT

REARDON. NACIDO EL 20 DE JUNIO DE 1977. MUERTO EL 21 DE AGOSTO DE 1992.

—¿Y a él lo van a enterrar ahí? —preguntó Neely señalando un sitio vacío junto a Scotty.

—Eso dicen —respondió Paul.

—Aquí siempre se dicen muchas cosas.

Avanzaron unos metros hasta un banco de hierro forjado situado bajo un pequeño olmo y se sentaron a contemplar la lápida de Scotty.

—¿Quién tuvo el valor de echarlo? —quiso saber Neely.

—Murió quien no debía morir. La familia de Scotty tenía dinero, eran madereros. Su tío, John Reardon, había sido nombrado director del Consejo de Educación en el ochenta y nueve. Era un político muy respetado, con mucha labia y sin un pelo de tonto, y además era la única persona con autoridad suficiente para echar a Rake. Y vaya si lo echó. Como puedes imaginarte, la noticia de la muerte del chico conmocionó a toda la ciudad, y cuando los detalles empezaron a salir a la luz se hicieron algunos comentarios sobre Rake y sus métodos.

—Tuvimos suerte de que no nos matara a todos.

—El lunes le hicieron la autopsia. Era un caso claro de insolación. No existían afecciones previas, ningún problema. Un quinceañero en perfecto estado de salud sale de su casa un domingo por la mañana a las siete y media rumbo a una sesión de tortura de dos horas y no regresa nunca. Por primera vez en la historia de la ciudad, la gente empezó a preguntarle: «¿Por qué exactamente obliga a los chicos a correr en una sauna hasta que vomitan?».

—¿Y él qué respondía?

—Rake no tenía respuestas. Rake no decía nada. Se encerró en su casa y trató de capear el temporal. Muchas personas, incluidos muchos de sus jugadores, pensaron: «Al final Rake ha matado a un chico». Sin embargo, la mayoría de sus partidarios acérrimos decían: «Diantre, ese chico no era lo bastante fuerte para los Spartans». La ciudad quedó dividida, y las cosas se pusieron feas.

—Me cae bien ese Reardon —dijo Neely.

—Es muy estricto. El lunes por la noche, llamó a Rake y lo echó. El martes estallaron las cosas. Rake, como de costumbre, no podía soportar de ningún modo la idea de perder, así que empezó a telefonear a todo el mundo, a pinchar a los socios del club.

—¿No le remordía la conciencia?

—Quién sabe cómo se sentía. El funeral fue una pesadilla, como puedes imaginar. Todos los chicos berreando, algunos incluso se desmayaron. Los jugadores llevaban puesta la camiseta verde del equipo. La banda tocó en el entierro, estaba justo aquí. Todo el mundo miraba a Rake. Tenía un aspecto lamentable.

—Siempre ha sido un gran actor.

—Todo el mundo lo sabía. Y encima hacía menos de veinticuatro horas que lo habían echado y al funeral hubo que añadir el drama de su marcha. Fue todo un espectáculo, y nadie quiso perdérselo.

—Me habría gustado estar presente.

—¿Y dónde estabas?

—¿En el verano del noventa y dos? Por el oeste. Seguramente en Vancouver.

—Los socios del club trataron de convocar una reunión masiva el miércoles en el gimnasio del instituto. Reardon no les permitió hacerlo en el propio centro, así que fueron a la sede de la VFW y planearon el regreso de Eddie Rake. Algunos de los exaltados amenazaron con dejar de dar dinero, boicotear los partidos, formar piquetes en el despacho de Reardon e incluso fundar un instituto nuevo, donde supongo que venerarían a Rake.

—¿Rake estaba allí?

—No, qué va. Envió a Rabbit. Se conformó con quedarse en casa y dedicarse a llamar por teléfono a todo el mundo. De verdad creía que era capaz de ejercer suficiente presión para que le restituyeran el puesto. Pero Reardon no estaba dispuesto a ceder. Se dirigió a los ayudantes y nombró entrenador a Snake Thomas, pero este no aceptó y Reardon lo echó. Donnie Malone también dijo que no, y Reardon lo echó. Quick Upchurch tampoco quiso el puesto, y Reardon también lo echó.

—Cada vez me cae mejor ese tipo.

—Al fin, los hermanos Griffin se ofrecieron a cubrir la plaza hasta que encontraran a otra persona. Habían jugado a las órdenes de Rake a finales de los setenta…

—Ya los recuerdo. La huerta de pacanas.

—Exacto. Muy buenos jugadores, y muy buena gente. Como Rake nunca cambiaba el sistema, lo conocían bien. Se sabían las jugadas y conocían a la mayoría de los chicos. Se presentaron el viernes por la noche para el primer partido de la temporada. Jugábamos contra el Porterville, y el boicot estaba en marcha. El problema era que nadie quería perderse el partido. Los que apoyaban a Rake, que probablemente eran mayoría, no podían dejar de asistir porque querían que masacraran al equipo. Los auténticos aficionados habían acudido por motivos lícitos. El campo estaba a reventar, como siempre, y las lealtades en conflicto se oían desde todos los ángulos. Los jugadores estaban totalmente mentalizados. Dedicaron el partido a Scotty y ganaron por cuatro touchdowns. Fue una noche fantástica. Triste, por lo de Scotty y también porque la era de Rake parecía haber llegado a su fin; pero la victoria lo es todo.

—Este banco es muy duro —dijo Neely, poniéndose en pie—. Vamos a pasear un poco.

—Mientras, Rake contrató a un abogado. Entabló un pleito y las cosas se pusieron feas. Reardon se mantuvo en sus trece. Y la ciudad, aunque estaba muy dividida, seguía reuniéndose todos los viernes por la noche. El equipo jugaba con más agallas de las que jamás había visto. Años después, un chico a quien conozco me confesó que era un alivio jugar al fútbol por simple placer y no muerto de miedo.

—¿Qué tal debe de sentar eso?

—Nosotros no lo sabemos.

—No.

—Ganaron los primeros ocho partidos. Sin una sola derrota. Eran todo orgullo y todo agallas. Se empezó a hablar de un título estatal, y de una nueva racha. Se empezó a hablar de pagar una pasta gansa a los Griffin para que empezaran una nueva dinastía, y chorradas así.

—¿Y entonces perdieron?

—Pues claro. El fútbol es el fútbol. A unos pimpollos justo empiezan a subírseles los humos y entonces van y los joden.

—¿Qué equipo fue?

—El Hermantown.

—¡No es posible! ¡El Hermantown se dedica al baloncesto!

—Lo hicieron aquí mismo, delante de diez mil personas. Fue el peor partido que he visto jamás. Ni orgullo ni agallas; no hacían más que dar material a la prensa. Ya podían despedirse de la racha, y del título estatal. Había que echar a los Griffin y volver a contratar a Eddie Rake. Las cosas habían ido más o menos bien mientras ganábamos, pero esa derrota dividió a la ciudad durante años. A la semana siguiente volvimos a perder y no conseguimos clasificarnos para las eliminatorias. Los Griffin dimitieron de inmediato.

—Qué listos.

—Los que habíamos jugado con Rake estábamos entre la espada y la pared. Todo el mundo nos preguntaba: «¿Tú de parte de quién estás?». No había forma de mantenerse al margen, tío. Tenías que decir si estabas a favor de Rake o contra él.

—¿Y tú?

—Yo quise quedar bien y acabé recibiendo palos de todos lados. El conflicto se convirtió en una lucha de clases. Siempre había habido un pequeño grupo de gente contraria a invertir más dinero en el fútbol que en las ciencias naturales y las matemáticas juntas. Nosotros nos desplazábamos en autocar mientras que a los jugadores de los otros equipos escolares los acompañaban sus padres en coche. Las chicas tardaron años en tener un campo de *softball*, nosotros en cambio teníamos no un campo de entrenamiento sino dos. El Latin Club se había ganado un viaje a Nueva York, pero no pudieron ir por falta de dinero; ese mismo año, el equipo de fútbol viajaba en tren a Nueva Orleans para asistir a la Super Bowl. La lista es interminable. El hecho de que despidieran a Rake hizo que las quejas se oyeran más. La gente que quería restar importancia al deporte vio la oportunidad de hacerlo. Los adeptos del fútbol resistieron; solo querían a Rake y otra racha. Los que habíamos jugado en el equipo y en la universidad y se suponía que teníamos más argumentos estábamos atrapados en medio.

—¿Qué ocurrió?

—La exaltación y el encono duraron meses. John Reardon se mantuvo firme. Encontró a un pobre diablo de Oklahoma con ganas de ser entrenador y lo contrató como sucesor de Eddie Rake. Por desgracia, el noventa y tres era el año en que debían reelegir a Reardon, y todo el follón desembocó en una gran reyerta política. Se hablaba mucho de que el propio Rake iba presentarse como oponente de Reardon. Si ganaba, se nombraría a sí mismo entrenador y mandaría al cuerno al mundo entero. También se decía que el padre de Scotty estaba dispuesto a invertir un millón de dólares para que ganara John Reardon. Y así todo el tiempo. La contienda pintaba mal antes de empezar, tanto que al bando de Rake le costó Dios y ayuda encontrar a un candidato.

—¿Quién se presentó?

—Dudley Bumpus.

—El nombre suena bien.

—El nombre es lo mejor de todo. Se trata de un desinhibido corredor de fincas de la ciudad muy conocido entre los socios del club por hablar sin cortapisas. Sin experiencia en política ni en educación; acabó la carrera, y gracias. Una vez se presentaron cargos contra él, pero no llegaron a condenarlo. Un perdedor que estuvo a punto de ganar.

—¿Ganó Reardon?

—Por sesenta votos. El número de votantes fue el mayor de toda la historia del condado, casi el noventa por ciento de participación. Fue una guerra sin prisioneros. Cuando anunciaron quién había ganado, Rake se marchó a su casa, se cerró a cal y canto y no salió en dos años.

Se detuvieron junto a una hilera de lápidas. Paul pasó entre ellas, buscaba a alguien.

—Aquí —dijo, señalando con el dedo—. David Lee Goff. El primer Spartan que murió en Vietnam.

Neely miró la lápida. En ella había un retrato de David Lee; parecía tener como mucho dieciséis años. No llevaba puesto el traje militar ni el de la ceremonia de graduación sino la camiseta verde de los Spartans; el número 22. NACIDO EN 1950, MUERTO EN 1968.

—Conozco a su hermano pequeño —dijo Paul—. David Lee se graduó en mayo, ingresó en el campamento militar en junio, llegó a Vietnam en octubre y murió justo al día siguiente de Acción de Gracias. Tenía dieciocho años y dos meses.

—Fue dos años antes de que naciéramos nosotros.

—Más o menos. Hay otro chico al que aún no han encontrado. Era negro, se llamaba Marvin Rudd y desapareció en combate en mil novecientos setenta.

—Recuerdo a Rake hablar de Rudd —dijo Neely.

—Rake lo adoraba. Sus padres siguen asistiendo a todos los partidos, y no sé qué deben de pensar.

—Estoy harto de hablar de la muerte —dijo Neely—. Vámonos.

Neely no recordaba una sola librería en Messina, ni un lugar donde tomarse un exprés o comprar café de Kenya. Nat's Place reunía todo eso, y también se vendían revistas, puros, CD, postales subidas de tono, hierbas medicinales de origen dudoso, sándwiches y sopas vegetales, además de ser el lugar donde se encontraban poetas ambulantes, cantantes de música folk y los pocos aspirantes a bohemio de la ciudad. Estaba en la plaza, cuatro puertas más abajo del banco de Paul, en un edificio donde, cuando Neely era un niño, vendían piensos y abonos. Paul tenía que conceder unos créditos, así que Neely fue a investigar solo.

Nat Sawyer había sido el peor punter de toda la historia de los Spartans. Su media de yardas por patada había batido pésimas marcas, y tantas veces había perdido el balón en un snap que Rake casi siempre se la jugaba en cuarta y ocho, daba igual dónde estuviera situado el balón. Con un quarterback como Neely, un buen despejador no era imprescindible.

Dos veces durante su último año, Nat se las había arreglado para dejar pasar el balón junto al pie sin tocarlo, lo que había dado lugar a una de las secuencias de vídeo más populares de toda la historia de los equipos de último curso. La segunda ocasión, que de hecho fue un doble descuido, acabó en una cómica carrera de touchdown de noventa y cuatro yardas que duró, según el preciso cronometraje de la grabación, 17,3 segundos. De pie en su zona de anotación y muy nervioso, Nat recogió el snap, lanzó el balón hacia arriba, dio una patada al aire y fue derribado por dos defensas del Groove City. Como el balón, por suerte, aún daba vueltas por allí cerca, Nat se repuso, lo recuperó y se echó a correr. Los dos defensas, que parecían algo aturdidos, iniciaron una confusa persecución, por lo que Nat intentó un torpe y precipitado puntapié. Al fallar, volvió a recoger el balón y se lanzó a la carrera. El espectáculo que ofrecía tan desgarbada gacela corriendo por el campo con pesadez y muerta de miedo dejó petrificados a la mayoría de los jugadores de ambos equipos. Más tarde Silo Mooney declaró que, de tanto como se reía, fue incapaz de realizar un bloqueo para su despejador. Aseguró que incluso había oído risas procedentes de los cascos de los jugadores del Groove City.

En la grabación, los entrenadores contaron diez placajes fallidos. Cuando al fin Nat llegó a la zona de anotación, arrojó el balón contra el suelo sin preocuparse por la penalización, se despojó del casco y se dirigió a toda prisa a la mitad local del campo para que los aficionados pudieran admirarlo de cerca.

Rake le otorgó el premio al peor touchdown del año.

Cuando estaban en décimo curso, Nat había probado a jugar de safety, pero no podía correr y detestaba golpear. En undécimo, probó de receptor, pero una vez Neely le golpeó el estómago mientras atravesaba el campo en diagonal y lo dejó sin respiración durante varios minutos. Pocos jugadores de Rake eran tan negados, y a ninguno le caía tan mal el uniforme.

El escaparate estaba repleto de libros y anuncios de café y comidas. La puerta chirrió, sonó una campanilla y por un momento Neely tuvo la impresión de haber viajado en el tiempo. Luego le llegó la primera vaharada de incienso y supo que Nat regentaba el lugar. El propietario, con una pila de libros en las manos, emergió de entre dos estantes combados y dijo sonriente:

—Buenos días. ¿Desea algo?

Entonces se quedó petrificado y los libros cayeron al suelo.

—¡Neely Crenshaw!

Lo embistió con tan poca gracia como a un balón de fútbol, y ambos se abrazaron en un rudo gesto que costó a Neely un codazo en el bíceps.

—¡Me alegro mucho de verte! —dijo Nat entusiasmado, y se le humedecieron los ojos un segundo.

—Yo también me alegro de verte, Nat —dijo Neely un poco incómodo. Por suerte, en ese momento solo había otro cliente en la tienda.

—Te llaman la atención mis pendientes, ¿verdad? —dijo Nat, y retrocedió un paso.

—Bueno, sí, llevas unos cuantos.

En cada oreja lucía por lo menos cinco aros de plata.

—Soy el primer hombre de Messina que lleva pendientes, ¿qué te parece? Y coleta. Y el primer comerciante del centro de la ciudad que se declara abiertamente gay. ¿No estás orgulloso de mí?

Nat se sacudió hacia atrás el largo pelo negro para mostrarle orgullosamente su coleta.

—Claro, Nat. Tienes buen aspecto.

Nat lo estaba examinando de pies a cabeza. Los ojos le brillaban como si hubiera estado tomándose un café exprés detrás de otro.

—¿Qué tal tu rodilla? —preguntó, mirando alrededor como si lo de la lesión fuera un secreto.

—Fastidiada para siempre, Nat.

—Ese hijo de puta te golpeó a destiempo, lo vi. —Nat hablaba con la autoridad de alguien que ese día, en el campo del Tech, se encontraba de pie junto a la línea de banda.

—Hace mucho de eso. Eran otros tiempos.

—¿Quieres un café? Me traen uno de Guatemala que te deja zumbando.

Avanzaron en zigzag entre las estanterías y las perchas y llegaron a la trastienda, donde había un café improvisado. Nat se situó casi corriendo detrás de una atestada barra y empezó a sacar cacharros. Neely se sentó en un taburete y lo observó. Nat no tenía gracia para nada.

—Dicen que le quedan menos de veinticuatro horas —comentó Nat mientras aclaraba un pequeño cazo.

—Aquí los rumores siempre acaban siendo ciertos, sobre todo si tienen que ver con Rake.

—No, eso lo ha dicho una persona de la casa.

El mérito en Messina no consistía en enterarse de las últimas noticias, sino en enterarse por la mejor fuente.

—¿Quieres un puro? Tengo unos habanos de contrabando. También te dejan zumbando.

—No, gracias. No fumo.

Nat estaba vertiendo agua en una gran cafetera de fabricación italiana.

—¿A qué te dedicas? —preguntó, volviendo la cabeza.

—Soy corredor de fincas.

—Vaya, qué original.

—Al menos sirve para pagar las facturas. Qué local más chulo te has montado, Nat. Curry me ha contado que te van bien las cosas.

—Estoy intentando insuflar un poco de cultura a este desierto. Paul me prestó treinta mil dólares para empezar, ¿puedes creerlo? No tenía más que una idea y ochocientos dólares; ah, y una madre dispuesta a firmar el aval, por supuesto.

—¿Qué tal le va?

—Muy bien, gracias. Se niega a envejecer. Sigue dando clases en tercero.

Mientras se hacía el café, Nat se apoyó junto al pequeño fregadero y se acarició el poblado bigote.

—Rake está a punto de morir, Neely, ¿puedes creerlo? Messina sin Eddie Rake. Empezó a entrenar aquí hace cuarenta y cuatro años. La mitad de los habitantes del condado aún no habían nacido.

—¿Lo has visto?

—Venía mucho por aquí, pero cuando se puso enfermo se retiró a su casa para morir. Nadie ha visto a Rake desde hace seis meses.

Neely dio un vistazo alrededor.

—¿Rake ha estado aquí?

—Fue mi primer cliente. Él me animó a abrir el local, me soltó el típico sermón para motivarme: «No tengas miedo, trabaja siempre más que el otro, no te des nunca por vencido...». Los vivas habituales del medio tiempo. Cuando abrí, le gustaba venir a tomar café por las mañanas. Supongo que aquí se sentía a salvo porque el local no estaba precisamente a rebosar. Los muy palurdos creían que iban a coger el sida si cruzaban la puerta.

—¿Cuánto hace que lo inauguraste?

—Siete años y medio. Los primeros dos no pude pagar la factura de la luz; luego, poco a poco, todo se fue arreglando. Corrió la voz de que era el local favorito de Rake y la gente empezó a sentir curiosidad.

—El café ya debe de estar —dijo Neely al oír silbar la máquina—. Nunca he visto a Rake leer un libro.

Nat sirvió dos tazas pequeñas, las colocó en sendos platitos y las dejó sobre la barra.

—El olor es fuerte —observó Neely.

—Tendría que servirse con receta. Rake me preguntó un día qué tipo de libro podría gustarle. Le ofrecí uno de Raymond Chandler. Al día siguiente volvió y me pidió otro. Le había encantado. Entonces le recomendé uno de Dashiell Hammett. Luego le dio por Elmore Leonard. Abro a las ocho (pocas librerías lo hacen), y una o dos veces por semana Rake venía temprano. Nos sentábamos en ese rincón y hablábamos de libros; nada de fútbol ni de política, nada de chismes. Solo libros. Le encantaban las historias de detectives. Cuando oíamos sonar la campanilla de la puerta, se escapaba por la puerta trasera y se marchaba a su casa.

—¿Por qué?

Nat dio un largo sorbo de café y la tacita se sumió en las profundidades de su rebelde bigote.

—No solíamos hablar de eso. Rake se sentía violento por cómo lo habían echado. Es muy orgulloso; esa fue una de las cosas que nos enseñó. Pero también se sentía responsable de la muerte de Scotty. Mucha gente lo culpaba, y lo culparía siempre. Menuda carga, tío. ¿Te gusta el café?

—Es muy fuerte. ¿Lo echas de menos?

Otro sorbo lento.

—¿Cómo es posible no echar de menos a Rake cuando se ha jugado con él? Cada día se me aparece su rostro. Oigo su voz. Aún noto el olor de su sudor. Aún noto sus golpes sin los protectores puestos. Puedo imitar sus bramidos, sus reniegos, sus murmuraciones. Recuerdo sus historias, sus discursos, sus lecciones. Recuerdo todas y cada una de las cuarenta jugadas, y de los treinta y ocho partidos en los que lucí la camiseta. Mi padre murió hace cuatro años. Lo quería mucho pero, aunque me cueste admitirlo, nunca ejerció tanta influencia sobre mí como Eddie Rake.

Nat hizo una pausa a media reflexión que duró lo justo para servir más café.

—Cuando más adelante abrí este local y logré conocerlo como alguien distinto de la leyenda, cuando ya no me preocupaba que me gritara por haberla cagado, aprendí a adorar a ese viejo plasta. Eddie Rake no es precisamente encantador pero es humano. Sufrió mucho tras la muerte de Scotty y no tenía a quién recurrir. Rezaba mucho, iba a misa todas las mañanas. Creo que las novelas lo ayudaban, le abrieron un mundo nuevo. Se perdía en los libros, en cientos de libros; tal vez en miles.

Dio un sorbo rápido.

—Lo echo de menos, ahí sentado, hablando de libros y de autores para no tener que hablar de fútbol.

La campanilla de la puerta sonó en la distancia. Nat se encogió de hombros y dijo:

—Ya nos encontrarán. ¿Quieres una magdalena o algo?

—No. He comido en Renfrow's. Allí todo sigue igual: la misma grasa, el mismo menú; hasta las moscas son las mismas.

—Y los pesados esos, quejándose porque el equipo ha perdido un partido.

—Exacto. ¿Sueles ir al campo?

—Qué va. Cuando eres el único gay declarado en una ciudad como esta, no estás cómodo entre multitudes. La gente te mira y te señala con el dedo, y empieza a murmurar y a abrazar a los niños. Estoy acostumbrado pero prefiero evitarlo. O sea, que o voy solo, y entonces no tiene gracia, o quedo con alguien, y entonces interrumpen el partido. ¿Te imaginas que entro en el campo de la mano de un tío bueno? Nos apedrearían.

—¿Cómo se hace para salir del armario en esta ciudad?

Nat dejó la taza y embutió las manos en los bolsillos de sus tejanos almidonados y bien planchados.

—Aquí no se puede, tío. Después de terminar el instituto me mudé, por así decirlo, a DC y allí no tardé mucho tiempo en darme cuenta de quién soy y cómo soy. Yo no salí del armario, Neely; más bien eché la puerta abajo. Conseguí trabajo en una librería y aprendí el oficio. Durante cinco años viví a lo loco, me divertí muchísimo, pero acabé por cansarme de la gran ciudad. Francamente, echaba de menos mi casa. La salud de mi padre empeoró y sentí la necesidad de volver. Tuve una larga conversación con Rake, le conté toda la verdad. Eddie Rake fue la primera persona con quien me sinceré aquí.

—¿Cómo reaccionó?

—Dijo que él no sabía gran cosa de los gays pero que si yo estaba satisfecho conmigo mismo, mandara al cuerno a los demás. «Haz tu vida, hijo», me aconsejó. «Habrá quien te odie y quien te adore; la mayoría no sabe cómo tomárselo. La decisión está en tus manos.»

—Típico de Rake.

—Me dio ánimo, tío. Luego me convenció para que abriera el local; y cuando estaba convencido de que había metido la pata hasta la ingle, empezó a venir por aquí y corrió la voz. Un segundo, no te marches.

En dos zancadas, Nat se plantó en la parte delantera del local, donde esperaba una anciana. La llamó por su nombre con una voz que no podría ser más dulce y enseguida se enfrascaron en la búsqueda de un libro.

Neely se acercó a la barra y se sirvió otra taza de café. Nat pronto regresó y le dijo:

—Era la señora Underwood, la antigua dueña de la tintorería.

—Ya me acuerdo.

—Tiene ciento diez años y le encantan los westerns eróticos. Imagínate tú. Cuando tienes una librería, te enteras de un montón de cosas interesantes. Se siente tranquila al comprar aquí porque cree que yo también tengo secretos. Además, seguro que con ciento diez años le importa un bledo lo que piensen los demás.

Nat colocó una gran magdalena de arándanos en un plato y lo dejó sobre la barra.

—Coge, coge —lo invitó, y la partió por la mitad. Neely tomó un pequeño trozo.

—¿Las haces tú? —preguntó.

—Todas las mañanas. Las compro congeladas y las cuezo en el horno. Nadie nota la diferencia.

—No está mal. ¿Aún ves a Cameron?

Nat dejó de masticar y obsequió a Neely con una mirada burlona.

—¿Qué pasa con Cameron?

—Erais amigos. Solo tengo curiosidad.

—Espero que aún te remuerda la conciencia.

—Pues sí.

—Bien, espero que lo pases fatal.

—A veces.

—Nos escribimos de vez en cuando. Está bien, vive en Chicago. Está casada y tiene dos niñas. Pero, dime, ¿por qué lo preguntas?

—¿Es que no puedo preguntarte por una compañera de clase?

—En clase éramos casi doscientos. ¿Por qué empiezas precisamente por ella?

—Perdóname, por favor.

—No, quiero saberlo. Vamos, Neely, ¿por qué te interesas por Cameron?

Neely se llevó a la boca unas migajas de magdalena y esperó. Luego se encogió de hombros, sonrió y dijo:

—Vale. Pienso en ella.

—¿Y en Screamer?

—¿Cómo podría olvidarla?

—Esa imbécil estaba buenísima. Saliste con ella y lo pasaste bien, pero a la larga no fue una buena elección.

—Yo era joven y un cabeza hueca, lo reconozco. Pero sí que lo pasé bien, sí.

—Eras el *all-American*, Neely. Podías liarte con la chica que quisieras. Plantaste a Cameron porque Screamer te ponía caliente. Y yo te odié por ello.

—Vamos, Nat, ¿en serio?

—Te odié a muerte. Era muy amigo de Cameron desde la guardería, antes de que tú llegaras a la ciudad. Ella sabía que yo era distinto, y siempre me protegió. Yo traté de protegerla a ella pero se enamoró de ti y cometió un gran error. Entonces Screamer se encaprichó del *all-American*. Cada vez llevaba la falda más corta y la blusa más ajustada, y tú caíste a sus pies. Le diste calabazas a mi querida Cameron.

—Siento haber sacado el tema.

—Sí, tío. Vamos a hablar de otra cosa.

Durante un largo momento de silencio, no supieron de qué otra cosa hablar.

—Espera a verla —prosiguió Nat.

—Está buena, ¿eh?

—Screamer parece una puta de lujo avejentada, probablemente lo que es. Cameron, en cambio, es toda clase.

—¿Crees que vendrá?

—Seguramente. La señorita Lila fue su profesora de piano durante un montón de años.

Neely no tenía adónde ir pero, de todos modos, miró el reloj.

—Tengo que marcharme, Nat. Gracias por el café.

—Gracias por venir, Neely. Ha sido todo un detalle.

Sorteando perchas y estanterías, se plantaron en la parte delantera del local. Neely se detuvo en la puerta.

—Oye, esta noche hemos quedado unos cuantos en las gradas; será una especie de velatorio, con cerveza y batallitas. ¿Por qué no te pasas por allí?

—Me gustaría —dijo Nat—. Gracias.

Neely abrió la puerta y se dispuso a salir. Entonces Nat lo aferró por el brazo y le dijo:

—Es mentira, Neely. Nunca te he odiado.

—Pues habrías hecho bien.

—A ti no te odiaba nadie, Neely. Eras nuestro *all-American*.

—Eso ya es agua pasada, Nat.

—No mientras Rake siga vivo.

—Dile a Cameron que me gustaría verla. Tengo que explicarle una cosa.

La administrativa sonrió con eficiencia y deslizó una tablilla sujetapapeles sobre el mostrador. Neely escribió su nombre, la hora y la fecha, y añadió que había ido a visitar a Bing Albritton, el durante tanto tiempo entrenador de baloncesto femenino. La administrativa examinó el formulario, no reconoció su rostro ni su nombre y al fin dijo:

—Debe de estar en el gimnasio.

La otra señorita de la oficina de secretaría levantó la vista, pero tampoco ella reconoció a Neely Crenshaw.

Y a él le pareció bien.

En los pasillos del instituto Messina reinaba el silencio, las puertas de las aulas estaban todas cerradas. Las mismas taquillas. El mismo color de pintura. El mismo pavimento endurecido y reluciente debido a las capas y capas de cera. El mismo olor de desinfectante al acercarse a los servicios. Estaba seguro de que si entraba en alguno, oiría el mismo goteo del grifo, notaría el mismo olor a cigarrillo prohibido, vería la misma hilera de urinarios manchados, y, probablemente, la misma pelea de siempre entre dos gamberros. Se quedó en el pasillo; pasó frente a la clase de álgebra de la señorita Arnett y, al dar un rápido vistazo a través de la estrecha ventanilla de la puerta, vio a su antigua profesora, sin duda con quince años más, sentada en la esquina del mismo escritorio, enseñando las mismas fórmulas.

¿En serio habían pasado quince años? Por un momento se sintió de nuevo con dieciocho, un chaval que detestaba el álgebra y el inglés y que no necesitaba para nada todas aquellas clases porque pensaba hacerse rico jugando al fútbol americano. La rapidez y el frenesí con que habían transcurrido quince años le produjeron un vértigo momentáneo.

Pasó un conserje, un anciano caballero que se había dedicado a la limpieza del edificio desde que lo construyeran. Por un instante, pareció reconocer a Neely, pero enseguida desvió la mirada y masculló un quedo «Buenos días».

La entrada principal del instituto daba paso a un amplio y moderno atrio que había sido construido cuando Neely cursaba segundo. El atrio conectaba los dos edificios que constituían el instituto y llevaba hasta la puerta del gimnasio. Las paredes estaban cubiertas de fotografías de todas las promociones desde 1920.

El baloncesto era considerado un deporte de segunda categoría en Messina, pero a causa del fútbol americano los ciudadanos se habían acostumbrado a ganar y esperaban que todos los equipos crearan su dinastía. A finales de los setenta, Rake decidió que el instituto necesitaba un gimnasio nuevo. La votación acabó con el noventa por ciento a favor, y Messina construyó con orgullo la mejor pista de baloncesto de todos los institutos del estado. Su entrada era, sobre todo, un museo dedicado a la fama.

La pieza central era una enorme y carísima vitrina para trofeos en la que Rake había dispuesto cuidadosamente sus trece pequeños monumentos. Trece títulos estatales, conseguidos entre 1961 y 1987. Detrás de cada uno se observaba una gran fotografía del equipo con una lista de los resultados y un collage de titulares ampliados. Había balones firmados y camisetas de jugadores retirados, incluida la del número 19. También había muchas fotografías de Rake: Rake con Johnny

Unitas en un acto fuera de temporada, Rake con un gobernador por aquí y otro gobernador por allá, Rake con Roman Armstead justo después de un partido de los Packers.

Durante unos instantes Neely se quedó absorto observando la exposición, a pesar de haberla visto ya muchas veces. Constituía a la vez un glorioso homenaje a un brillante entrenador y a sus entregados jugadores y un triste recordatorio del pasado. Una vez oyó a alguien decir que el vestíbulo del gimnasio era Messina en cuerpo y alma. Pero más bien era un monumento a Eddie Rake, un santuario donde sus seguidores pudieran venerarlo.

Otras vitrinas se encontraban dispuestas en las paredes que conducían hasta las puertas del gimnasio. Más balones firmados, de años menos exitosos. Trofeos más pequeños, de equipos menos importantes. Por primera vez, y con suerte por última, Neely sintió lástima de los chicos de Messina que habían entrenado y triunfado pero habían pasado inadvertidos por dedicarse a un deporte menor.

El fútbol americano era el rey y eso nunca cambiaría. Era el deporte que conducía a la gloria y permitía pagar las facturas, y punto.

De repente, un conocido timbrazo sonó cerca y devolvió a Neely a la realidad en que se había introducido quince años después de su época. Retrocedió por el atrio y se vio arrollado por el ímpetu y la aglomeración del cambio de clase de última hora de la mañana. Los pasillos bullían de estudiantes que se abrían paso a empujones, gritaban, cerraban las taquillas de un portazo y liberaban las hormonas y la testosterona reprimidas durante los últimos cincuenta minutos. Nadie reconoció a Neely.

Un corpulento y musculoso jugador de grueso cuello estuvo a punto de chocar con él. Llevaba una chaqueta verde y blanca de los Spartans, un símbolo de estatus sin parangón en Messina. Se daba los aires habituales de quien se cree el dueño de los pasillos; y, en efecto, lo era, aunque solo por un tiempo.

Exigía respeto. Esperaba que lo admiraran. Las chicas le sonreían. Los otros chicos le cedían el paso.

«Vuelve por aquí dentro de unos años, hombretón, y ya no sabrán ni cómo te llamas —pensó Neely—. Toda tu fabulosa carrera cabrá en una nota a pie de página. Todas las chicas monas se habrán convertido en madres. La chaqueta verde seguirá siendo un gran motivo de orgullo, pero ya no estarás autorizado a llevarla. Cosas del instituto. Cosas de chavales.»

¿Por qué eran tan importantes entonces?

De pronto Neely se sintió muy viejo. Se coló entre la multitud y salió del instituto.

A última hora de la tarde, Neely circulaba despacio por una estrecha carretera de gravilla que rodeaba Karr's Hill. En cuanto el arcén se ensanchó, salió de la carretera y detuvo el coche. Por debajo de él, a unos doscientos metros, estaba el pabellón deportivo de los Spartans, y más lejos a su derecha, los dos campos de entrenamiento. En uno de ellos el equipo practicaba el contacto con los protectores puestos mientras en el otro el equipo júnior se ejercitaba corriendo. Los entrenadores tocaban el silbato y vociferaban.

En Rake Field, Rabbit movía un cortacésped John Deere verde y amarillo adelante y atrás sobre la hierba inmaculada, tal como hacía todos los días de marzo a diciembre. Las animadoras, situadas en la pista por detrás del banquillo local, pintaban pancartas para la guerra del viernes por la noche y practicaban ocasionalmente nuevos movimientos. En la zona de anotación más alejada, la banda se reunía para un breve ensayo.

Pocas cosas habían cambiado. Había distintos entrenadores, distintos jugadores, distintas animadoras, distintos músicos en la banda, pero seguían siendo los Spartans de Rake Field, con Rabbit y su cortacésped y todo el mundo nervioso por el partido del viernes. Neely sabía que si regresaba al cabo de diez años y observaba la escena, la gente y el lugar seguirían teniendo el mismo aspecto.

Otro año, otro equipo, otra temporada.

Costaba creer que la actividad de Eddie Rake se hubiera visto reducida a sentarse muy cerca de donde en esos momentos se sentaba Neely y observar el partido a tanta distancia que para saber lo que ocurría necesitaba encender la radio. ¿Animaría a los Spartans? ¿O desearía en secreto que perdieran todos los partidos por puro resentimiento? Rake era un tanto mezquino y podía guardar rencor durante años.

Neely nunca había perdido en aquel campo. Su equipo del primer año se mantuvo invicto, y Messina contaba con ello, por supuesto. El equipo del primer año jugaba los jueves por la noche y arrastraba a más hinchas que la mayoría de los equipos universitarios. Los únicos dos partidos que perdió cuando empezó a jugar eran de las finales del campeonato estatal, ambos en el campo del A&M. Cuando cursaba octavo, el equipo había jugado en casa contra el Porterville y había empatado; esa fue la vez que Neely estuvo más cerca de perder un partido en Messina.

A causa del empate, el entrenador Rake había irrumpido en el vestuario y había soltado un duro discurso sobre el orgullo de los Spartans. Después de aterrorizar a una panda de muchachos de trece años, reemplazó a su entrenador.

Los recuerdos seguían asaltando a Neely mientras observaba el campo de entrenamiento. Como no le apetecía nada revivir todo aquello, se marchó.

Un hombre que iba a entregar una cesta de fruta en casa de Rake oyó los susurros y al cabo de muy poco la ciudad entera sabía que el entrenador se había retirado a un lejano lugar del que nunca volvería.

Al anochecer el rumor llegó hasta las gradas, donde varios grupos de jugadores pertenecientes a equipos de distintas décadas se habían reunido a esperar. Unos pocos se encontraban solos, sumidos en sus recuerdos de Rake y de la gloria que se había esfumado hacía tanto tiempo.

Paul Curry regresó en tejanos y sudadera y con dos grandes pizzas que Mona había preparado para que aquellos chicos pudieran volver a serlo por una noche. Silo Mooney había llevado una nevera portátil con cervezas. Hubcap no había aparecido, pero eso no era nada nuevo. Los gemelos Utley, Ronnie y Donnie, que vivían fuera del condado, habían oído que Neely estaba de vuelta. Quince años atrás eran dos apoyadores idénticos, cada uno de los cuales pesaba setenta kilos y era capaz de placar a un roble.

Cuando se hizo de noche, observaron a Rabbit dirigirse al marcador y encender los focos del poste sudoeste. Rake seguía vivo, aunque a duras penas. Sombras alargadas se proyectaron sobre Rake Field y los antiguos jugadores siguieron esperando. Los que practicaban footing se habían marchado; el lugar estaba en silencio. De vez en cuando se oían risas procedentes de alguno de los grupos que salpicaban las gradas locales como reacción a algún viejo relato futbolístico. Pero la mayoría de los presentes hablaban en voz baja. Rake estaba inconsciente, el final se acercaba.

Nat Sawyer los encontró. Llevaba algo en una gran maleta.

—¿Qué llevas ahí, Nat? ¿Drogas? —preguntó Silo.

—No. Son puros.

Silo fue el primero en encender un habano; lo siguieron Nat, Paul y, al fin, Neely. Los gemelos Utley no bebían ni fumaban.

—No os podéis imaginar lo que he encontrado —dijo Nat.

—¿Una novia? —bromeó Silo.

—Cállate, Silo. —Nat abrió la maleta y extrajo un gran radiocasete, con un gran altavoz.

—Qué bien, un poco de jazz es justo lo que me apetecía —dijo Silo.

Nat alzó una cinta y anunció:

—Es Buck Coffey retransmitiendo el partido del campeonato del ochenta y siete.

—No puede ser —exclamó Paul.

—Sí. Lo escuche anoche por primera vez en muchos años.

—Yo no lo he oído nunca —dijo Paul.

—No sabía que grabaran los partidos —repuso Silo.

—Hay muchas cosas que no sabes, Silo —contraatacó Nat. Introdujo la cinta en la ranura y empezó a manipular los botones.

—Si os parece bien, pensaba saltarme el primer tiempo.

Incluso Neely se rió. En ese primer tiempo le habían interceptado cuatro pases y había perdido el balón una vez. Los Spartans perdían por 31-0 contra un equipo de East Pike dotado de un gran talento.

La cinta empezó a sonar, y la áspera y parsimoniosa voz de Buck Coffey atravesó el silencio de las gradas.

«Hola, amigos. Os habla Buck Coffey durante el medio tiempo en el campo del A&M, donde se esperaba que tuviera lugar un reñido encuentro entre dos equipos invictos. Pero no. East Pike domina en todas las categorías a excepción de las faltas y las pérdidas de posesión. Van treinta y uno a cero. He retransmitido todos los partidos de los Spartans de Messina de los últimos veintidós años, y no recuerdo haber llegado nunca al medio tiempo con una diferencia así.»

—¿Dónde está Buck ahora? —preguntó Neely.

—Se marchó cuando echaron a Rake —respondió Paul.

Nat subió un poco el volumen y la voz de Buck llegó más lejos. Actuaba como un imán sobre los jugadores de los otros equipos. Randy Jaeger y dos de sus compañeros de 1992 se acercaron. Jon Couch, el abogado, y Blanchard Teague, el óptico, habían vuelto con sus zapatillas deportivas y cuatro jugadores más de la época de La Racha. Otros doce se aproximaron.

«Los equipos han regresado al campo. Vamos a hacer una pausa para escuchar a nuestros patrocinadores.»

—Me saltaré esa mierda de los patrocinadores —dijo Nat.
—Perfecto —opinó Paul.
—Qué listo es mi niño —bromeó Silo.

«Estoy mirando el banquillo del Messina y no veo al entrenador Rake. De hecho, no hay ningún entrenador en el campo. Los equipos se están alineando para el saque inicial del segundo tiempo y los entrenadores de los Spartans no se ven por ninguna parte. Todo esto es muy extraño, por no decir más.»

—¿Dónde estaban los entrenadores? —preguntó alguien.
Silo se encogió de hombros pero no contestó.
Esa era la gran pregunta que durante quince años toda Messina se había formulado y nadie había sabido responder. Resultaba obvio que los entrenadores habían boicoteado el segundo tiempo. Pero ¿por qué?

«El East Pike se dispone a sacar hacia la zona de anotación sur. Ahí está el saque. Es corto y lo recoge Marcus Mabry en la dieciocho, avanza en zigzag, sigue recto, ve un hueco pero lo placan en la línea de treinta yardas, donde los Spartans tratan de atacar por primera vez esta noche. En el primer tiempo, Neely Crenshaw solo ha lanzado con éxito el balón tres veces de quince. Los del East Pike han recogido más pases suyos que los propios Spartans.»

—Qué gilipollas —exclamó alguien.
—Creía que estaba de nuestra parte.
—Lo estaba, pero prefería que ganáramos.
—Esperad —los cortó Nat.

«Seguimos sin rastro de Eddie Rake ni de los otros entrenadores. Esto es muy raro. Los Spartans rompen la reunión y

Crenshaw organiza el ataque. Curry, de receptor derecho; Mabry, de corredor en la formación en I. El East Pike tiene a ocho hombres en la caja desafiando a Crenshaw a lanzar el balón. Ahí está el snap, opción a la derecha, Crenshaw simula el lanzamiento, avanza en línea recta, ve un hueco, golpea fuerte, gira sobre sí mismo, evita un placaje y queda libre en la cuarenta, cuarenta y cinco, cincuenta, y sale del terreno de juego en la cuarenta y uno del East Pike, ¡una escapada de veintinueve yardas! La mejor jugada de todo el partido tiene lugar por parte del ataque de los Spartans. Parece que reaccionan.»

—Joder, qué caña daban los tíos —exclamó Silo en voz baja.
—Tenían a cinco fichados en primera división —observó Paul, reviviendo la pesadilla del primer tiempo—. Y cuatro jugaban en la defensa.
—No hace falta que me lo recuerdes —dijo Neely.

«Los Spartans han despertado al fin. Se gritan unos a otros en la reunión, los ánimos en la línea de banda están muy enardecidos. Ahí van, Crenshaw señala a su izquierda y Curry se sitúa pegado a la banda. Mabry en el slot, ahora en motion, el snap, pase rápido para Mabry, quien avanza hacia la izquierda unas seis o siete yardas. Ahora los Spartans están muy compenetrados. Se ayudan unos a otros a levantarse del césped, se dan palmadas en los cascos. Y, cómo no, Silo Mooney está soltándoles el rollo por lo menos a tres jugadores del East Pike, lo que siempre es una buena señal.»

—¿Qué les decías, Silo?
—Que los íbamos a joder bien jodidos.
—Pero si perdíais por treinta y un puntos…
—Es cierto —terció Paul—. Los demás lo oímos. Después de la segunda jugada, Silo empezó a ponerlos verdes.

«Segunda y tres. Crenshaw en formación de escopeta. El snap, pase rápido a Mabry, quien golpea fuerte, gira sobre sí mismo y avanza en línea recta hasta la treinta, la veinte, y ¡fuera del terreno de juego en la dieciséis del East Pike! ¡Cincuenta y cuatro yardas en tres jugadas! La línea ofensiva de los Spartans los está apartando a todos del balón. Primer down para los Spartans —en el primer tiempo solo han conseguido cinco, y solo han recorrido cuarenta y seis yardas—. Ahora Crenshaw ordena sus propias jugadas, no se oye nada desde el banquillo puesto que no hay ningún entrenador. Slot a la izquierda con Curry de receptor abierto, Mabry en la formación en I, Chenault en motion, opción a la derecha, simula el pase, corto a Mabry, lo golpean en la línea pero él atropella al linebacker y cae al suelo en la línea de diez yardas. El tiempo corre, faltan diez minutos y cinco segundos para que acabe el tercer cuarto. El Messina está a diez yardas de un touchdown y a mil quinientos kilómetros de un título estatal. Primera y gol, Crenshaw retrocede para efectuar un pase, balón para Mabry, lo golpean en posición retrasada, se escapa, se aleja hacia la derecha. ¡No hay nadie! ¡Va a marcar! ¡Va a marcar! ¡Y Marcus Mabry se lanza a por el primer touchdown del Messina! ¡Touchdown de los Spartans! ¡La remontada ha empezado!»

John Couch intervino:

—Cuando marcamos, recuerdo que pensé: «Está bien marcar un touchdown, pero a estas alturas es imposible que ganemos a esos tipos». Eran demasiado buenos.

Nat bajó el volumen y dijo:

—Perdieron el balón en el saque, ¿verdad?

Donnie:

—Sí, Hindu se hizo con él cerca de la línea de quince yardas; nosotros lo rodeábamos como moscones. Fue de aquí para allá durante unos cinco minutos y al final salió del terreno de juego cerca de la veinte.

Ronnie:

—Su tailback intentó un off-tackle a la derecha sin conseguir ganar terreno. Luego, a la izquierda pero tampoco ganó terreno. Tercera y once, retrocedieron para efectuar el pase pero Silo placó al quarterback en la línea de seis yardas.

Donnie:

—Por desgracia, al hacerlo lo empotró contra el suelo de cabeza: Nos costó quince yardas por conducta antideportiva; primera oportunidad para el East Pike.

Silo:

—Fue un mal arbitraje.

Paul:

—¿Un mal arbitraje? Querías partirle el cuello.

Silo:

—No, apreciado banquero, quería matarlo.

Ronnie:

—Habíamos perdido el juicio. Silo bramaba como un oso pardo malherido. Hindu, te lo juro, estaba llorando. En cada jugada quería abandonar su posición de safety para hacer un blitz, la cuestión era dar leña.

Donnie:

—Podríamos haberles parado los pies a esos cowboys de Dallas.

Blanchard:

—¿Quién ordenaba la defensa?

Silo:

—Yo. Era sencillo: había que marcar a los receptores, derribar al tight end, situar a ocho tipos en la caja y seguir con los blitz; todos a dar leña, si jugábamos limpio o no era lo de menos. Había dejado de ser un partido. Era la guerra.

Donnie:

—En tercera y ocho, Higgins, ese flanker presuntuoso que se fue al Clemson, corrió un slant. Fue un pase alto. Hindu lo intuyó a la perfección, cruzó el campo como un tren bala y lo golpeó una décima de segundo antes de que recibiera el balón. Interferencia de pase.

Paul:

—Su casco se elevó seis metros.

Couch:

—Nosotros estábamos en la fila cuarenta y sonó como si hubieran chocado dos coches.

Silo:

—Nos alegramos mucho. Nos habíamos cargado a uno. Eso también nos costó un pañuelo.

Ronnie:

—Dos pañuelos, treinta yardas, pero nos daba igual. No iban a marcar, daba igual dónde situaran el balón.

Blanchard:

—¿Tan convencidos estabais de que no iban a marcar?

Silo:

—Ningún equipo nos habría anotado en ese segundo tiempo. Cuando por fin se llevaron a Higgins del campo, en camilla, claro, el balón estaba en nuestra línea de treinta yardas. Efectuaron un barrido y perdieron seis yardas, un draw y perdieron cuatro más, luego el enano de su quarterback volvió a la formación de escopeta y lo arrollamos.

Nat:

—Su punter envió el balón a la línea de tres yardas.

Silo:

—Sí, tenían un buen punter. Claro que nosotros te teníamos a ti.

Nat subió el volumen:

«A los Spartans les faltan noventa y siete yardas, estamos a menos de ocho minutos del final del tercer cuarto y seguimos sin rastro de Eddie Rake ni de ninguno de los entrenadores de los Spartans. He observado a Crenshaw mientras el East Pike estaba en posesión del balón. Ha tenido todo el tiempo la mano derecha sumergida en un cubo de hielo y se ha dejado puesto el casco. Handoff a la izquierda para Mabry, que no consigue gran cosa. Las dos defensas envían a todos los jugadores, lo cual debería propiciar el pase.»

Silo:

—Desde la línea de tres yardas no, imbécil.

Paul:

—Coffey siempre quiso ser entrenador.

«Pitch hacia la derecha, Mabry maneja el balón con dificultad, avanza recto, ve un gran hueco, y sale del terreno de juego a la altura de las diez yardas.»

Couch:

—Por curiosidad, Neely, ¿recuerdas qué ordenaste justo después?

Neely:

—Claro, opción a la derecha. Leí la opción, simulé un pase a Chenault, simulé un pitch a Hubcap, y avancé en línea recta once yardas. La línea ofensiva no paraba de cargarse gente.

«Primer down y diez para los Spartans, que rompen la reunión y corren a la línea de scrimmage. Este equipo parece otro, amigos.»

Paul:

—No sé para qué retransmitía Buck el partido por radio. No lo escuchaba nadie, toda la ciudad estaba en el campo.

Randy:

—Te equivocas. Lo escuchaba todo el mundo. En Messina todos querían saber qué le había ocurrido a Rake en el segundo tiempo, por eso la afición veía el partido con la radio pegada a la oreja.

«Handoff a Chenault, quien se lanza en línea recta tres o cuatro yardas. Se ha limitado a bajarse el casco y seguir a Silo Mooney, que a su vez está siendo marcado por dos oponentes.»

Silo:

—¡Solo por dos! Qué insulto. El segundo fue ese enano cabrón y mal carado, pesaba unos ochenta kilos y pensé que era malísimo. Se incorporó al partido soltando sandeces pero iba a durar menos de un minuto en el campo.

«Pitch a Mabry, de nuevo se abre hacia la derecha, hay un hueco, sube hasta la treinta y sale del terreno de juego. A un joven del East Pike le están sacudiendo el polvo.»

Silo:

—Es él.

Blanchard:

—¿Qué le hiciste?

Silo:

—El juego avanzaba hacia la derecha, lejos de nosotros. Le hice un buen bloqueo, lo tiré al suelo y luego le clavé la rodilla en el esternón. Chillaba como un cerdo. Duró tres jugadas y no volvió más.

Paul:

—Podrían habernos cargado una falta por violencia innecesaria en cada jugada, tanto ofensiva como defensiva.

Neely:

—Mientras lo arrastraban afuera del campo, Chenault me dijo que su tackle izquierdo no se movía demasiado bien. Algo le ocurría, tal vez se hubiera torcido un tobillo; el tipo estaba mal pero no abandonaba el partido. Fuimos a por él cinco veces seguidas, repetíamos la misma jugada. Seis o siete yardas cada vez, salíamos disparados mientras Marcus permanecía agazapado en busca de una víctima sobre la que abalanzarse. Yo entregaba el balón y me dedicaba a contemplar la carnicería.

Silo:

—Sube el volumen, Nat.

«Primera y diez en la treinta y ocho del East Pike. Los Spartans mueven el balón pero tratan de consumir el tiempo. No ha habido ni un solo pase en lo que llevamos de segundo tiempo. Faltan seis minutos. Curry se desplaza hacia la izquierda, el snap, opción a la derecha, el pitch para Mabry, ¡y este sale del terreno de juego en la treinta! ¡Veinticinco! ¡Llega a la dieciocho del East Pike y los Spartans ya están llamando a la puerta!»

Neely:
—Después de cada jugada, Mabry volvía corriendo a la reunión y gritaba: «Dadme el balón, tíos, dadme el balón». Y eso hicimos.
Paul:
—Cada vez que Neely ordenaba una jugada, Silo decía: «Si lo pierdes, te rompo el cuello».
Silo:
—No iba de broma.
Blanchard:
—¿Erais conscientes del poco tiempo que quedaba?
Neely:
—Sí, pero nos daba igual. Sabíamos que ganaríamos.

«Mabry ha llevado el balón doce veces en el segundo tiempo, setenta y ocho yardas. Ahí está el rápido snap, otra vez hacia la derecha, no hay mucho que hacer por allí. Los Spartans están dando verdadera leña a la zona izquierda de la defensa del East Pike. Mabry simplemente sigue a Durston y a Vatrano, y por supuesto Silo Mooney siempre está en medio de la pila de jugadores.»

Silo:
—Me encantaba Buck Coffey.
Neely:
—¿No salías con su hija pequeña?

Silo:

—Salir, salir… Buck no sabía nada, te lo aseguro.

«Segunda y ocho desde la dieciséis, Mabry vuelve a salir por la derecha, avanza tres o cuatro yardas. Y en las trincheras se está armando la de Dios es Cristo, amigos.»

Silo:

—Siempre se arma la de Dios es Cristo, Buck, precisamente por eso lo llaman «las trincheras».

En medio de la penumbra, el grupo había ido aumentando poco a poco. Otros jugadores se habían acercado o habían descendido por las gradas hasta situarse lo bastante cerca para oír la retransmisión jugada a jugada.

«Tercero y cuatro, Curry se abre, backfield repleto, opción a la derecha, Crenshaw conserva el balón, le golpean, cae de bruces tal vez unas dos yardas. Verdaderamente, Devon Bond le ha dado una buena tunda.»

Neely:

—Devon Bond me dio tantos golpes que me sentía igual que un saco de boxeo.

Silo:

—Fue el único jugador a quien no pude hacerle nada. Tan pronto como iba a por el balón, me abalanzaba contra él a tiro hecho, y él se esfumaba. O eso o bien me sacudía con el brazo y me hacía chocar los dientes. Menudo elemento.

Donnie:

—¿No jugó en un equipo profesional?

Paul:

—Estuvo en los Steelers un par de años pero sufrió algunas lesiones y tuvo que volver a East Pike.

«Un cuarto y dos indescriptible, amigos. Los Spartans deberían marcar porque aún están a muchos puntos de la victoria y ahora el tiempo apremia. Tres minutos y cuarenta segundos. Full house; ahora Chenault se desplaza hacia la izquierda, larga cuenta por parte de Crenshaw. ¡Y han picado! ¡El East Pike incurre en fuera de juego! ¡Primera y gol para los Spartans en la línea de cinco yardas! Crenshaw ha puesto en práctica el viejo truco del movimiento de cabeza y se ha salido con la suya.»

Silo:
—El truco del movimiento de cabeza... Y una mierda.
Paul:
—Los engañó con el ritmo.
Blanchard:
—Recuerdo que su entrenador se puso como un energúmeno. Entró en el terreno de juego.
Neely:
—Le costó un pañuelo. La mitad de la distancia.
Silo:
—El tío estaba loco de remate, cuantos más tantos anotábamos más se desgañitaba él.

«Primera y gol desde las dos yardas y media. Opción a la izquierda, ahí está el pitch, golpean a Marcus Mabry, este sigue con el ataque ¡y cae en la zona de anotación! ¡Touchdown para los Spartans! ¡Touchdown!»

La voz de Buck llegó aún más lejos en el silencio de la noche. En un momento dado, Rabbit la oyó y avanzó en tinieblas por la pista para investigar su procedencia. En las gradas divisó a un grupo de personas sentadas o medio tumbadas sin orden ni concierto. Vio botellas de cerveza y notó el olor del tabaco. En otras circunstancias se habría encargado de que todo el mundo abandonara el campo. Pero aquellos eran los chicos de Rake, formaban parte de la minoría privilegiada. Estaban aguardando a que los focos del campo se apagaran.

Si se hubiera acercado más podría haber citado todos sus

nombres y sus números; incluso recordaba el lugar exacto que ocupaba cada una de sus taquillas.

Rabbit se coló entre los refuerzos metálicos que bordeaban la parte inferior de las gradas, se situó en un lugar oculto un poco por debajo de los jugadores y se dispuso a escuchar.

Silo:

—Neely ordenó un onside kick que estuvo a punto de salir bien. El balón rodó por el campo y pasó por todos los jugadores hasta que un tipo con la camiseta equivocada se hizo con él.

Ronnie:

—Hicieron dos carreras y cubrieron dos yardas, luego intentaron un pase largo pero Hindu lo desbarató. Tres y fuera, pero Hindu placó al receptor fuera del terreno de juego. Violencia innecesaria. Primer down.

Donnie:

—La decisión del árbitro fue horrible.

Blanchard:

—En el banquillo nos pusimos como locos.

Randy:

—Mi padre estuvo a punto de tirar la radio al campo.

Silo:

—Nos daba igual. No iban a marcar.

Ronnie:

—Otra vez tres y fuera.

Couch:

—¿No hubo un retorno de punt más o menos en ese punto?

Nat:

—Fue la primera jugada del último cuarto.

Subió el volumen.

«El East Pike vuelve y efectúa un punt en la cuarenta y uno del Messina, el snap, una patada baja y enérgica, Paul Curry recoge el rebote en la cinco, se abre hacia la derecha hasta la diez, retrocede… ¡Tiene una pared! ¡Una pared perfecta! Llega a la veinte, la treinta, ¡la cuarenta! Cambia de dirección y cruza el campo, recoge un bloqueo de Marcus Mabry, llega a la cuarenta, la treinta, ¡avanza junto a la línea de banda opuesta! ¡Tiene bloqueadores por todas partes! Llega a la diez, a la cinco, la cuatro, la dos, ¡¡¡touchdown!!! ¡Touchdown para los Spartans! ¡Un retorno de punt de noventa y cinco yardas!»

Nat bajó el volumen para poder saborear uno de los mejores momentos de la historia de los Spartans. Habían ejecutado el retorno de punt con precisión modélica, efectuando todos y cada uno de los bloqueos y los movimientos que Eddie Rake había coreografiado durante interminables horas de entrenamiento. Cuando Paul Curry entró en la zona de anotación iba escoltado por seis camisetas verdes, tal como les habían enseñado. «Nos juntamos todos en la zona de anotación», les había gritado Rake una vez tras otra.

Dos jugadores del East Pike habían caído víctimas de los despiadados pero legítimos bloqueos por el lado ciego para los que Rake los había preparado durante el noveno curso. «Los retornos de punt son perfectos para cargarse a gente», les había explicado una vez tras otra.

Paul:

—Vamos a oírlo otra vez.

Silo:

—Con una basta. El final es el mismo.

Cuando hubieron despejado el campo, el East Pike efectuó el siguiente saque e inició una ofensiva que consumió seis minutos de partido. Durante un corto lapso del segundo tiempo, el adversario utilizó su superior talento para robarles sesenta yardas, aunque tuvo que contender por ellas centímetro a centímetro. El impecable desempeño que demostraran en el primer tiempo había dado paso hacía rato a la vacilación y la incertidumbre. Iban camino del desastre. Estaba a punto de producirse una muerte masiva y eran incapaces de impedirlo.

Cada handoff arrancaba un feroz ataque por parte de los once jugadores. Cada pase corto acababa con el receptor aplastado contra el suelo. No había tiempo para pases largos; a Silo no había quien lo parara. En cuarta y dos desde la veintiocho del Messina, el East Pike fue a toda costa por el primer down. El quarterback simuló un pitch a la izquierda pero se escabulló por la derecha buscando al tight end. No obstante, Donnie Utley lo había arrollado junto a la línea mientras su gemelo ejecutaba jugadas de carga cual perro rabioso. Ronnie atrapó al quarterback por detrás, le quitó el balón tal como le habían enseñado y lo arrojó al suelo; y los Spartans, que iban perdiendo por treinta y uno a veintiuno, seguían luchando a cinco minutos y treinta y cinco segundos del final del partido.

«Algo le ocurre a Neely en la mano derecha, no ha intentado ni un solo pase en todo el segundo tiempo. Cuando la defensa está en el campo, él aprovecha para introducir la mano en un cubo de hielo. El East Pike se ha dado cuenta y marca a los receptores mientras todos los demás jugadores se apiñan en la línea de scrimmage.»

Jaeger:
—Te la rompiste, ¿verdad?
Paul:
—Sí, se la rompió.
Neely se limitó a asentir.
Jaeger:
—¿Cómo ocurrió, Neely?
Silo:
—Fue un incidente en el vestuario.
Neely guardaba silencio.

«Primera y diez desde la treinta y nueve de los Spartans, Curry se abre hacia la derecha, motion a la izquierda, pitch hacia la derecha para Marcus Mabry que a duras penas consigue cuatro o cinco yardas. Devon Bond está en todas partes. Debe de ser el sueño de todo linebacker: no se preocupa de marcar los pases, se limita a seguir el balón. Los Spartans se reúnen brevemente, corren hasta la línea, pueden oír el reloj. Snap rápido, directo a Chenault justo por detrás de Silo Mooney, quien está repartiendo leña a diestro y siniestro en pleno campo.»

Silo:
—Me encanta: «Repartiendo leña a diestro y siniestro».
Donnie:
—Por no decir algo peor. Frank falló un bloqueo en un barrido y Silo le dio un puñetazo en la reunión.
Neely:
—No le dio ningún puñetazo. Fue una bofetada. El árbitro estuvo a punto de arrojar un pañuelo, pero no estaba seguro de poder penalizarnos por golpear a un jugador del propio equipo.
Silo:
—No tendría que haber fallado el bloqueo.

«Tercera y uno en la cuarenta y ocho, quedan cuatro minutos y veinte segundos de partido, los Spartans vuelven a la línea antes de que el East Pike esté listo, snap rápido, Neely efectúa un roll out a la derecha, jugada personal, atraviesa la cincuenta, llega a la cuarenta y cinco y sale del campo. Primer down y el reloj va a detenerse. Los Spartans necesitan dos touchdowns. Tendrán que empezar a utilizar las líneas de banda.»

Silo:
—Menos rollo, Buck. ¿Por qué no te limitas a describir las jugadas?
Donnie:
—Seguro que se las sabía de memoria.
Randy:
—Como todo el mundo, coño. No habían cambiado en más de treinta años.

Couch:

—Nosotros poníamos en práctica las mismas jugadas que vosotros empleasteis contra el East Pike.

«Otro off-tackle de Mabry, cuatro yardas, recibe un fuerte golpe de Devon Blond y del safety, Armondo Butler, un verdadero cazador de cabezas. No temen el pase, por eso están cargando con todas sus fuerzas contra la carrera. Formación con dos tight end, Chenault se mueve hacia la derecha, opción izquierda, pitch para Mabry, quien gira sobre sí mismo a la vez que avanza, y sigue adelante. Se las arregla para conseguir tres yardas. Tercera y tres, otra gran jugada, pero a estas alturas todas lo son. El reloj no perdona, quedan menos de cuatro minutos de partido. Balón en la treinta y ocho. Curry se aleja a toda velocidad de la reunión, se abre hacia la izquierda, el backfield abierto, Neely retrocede a la formación de escopeta, el snap, efectúa un roll out a la derecha, busca una y otra vez, hay mucha presión, se aleja hasta el extremo opuesto pero Devon Bond lo atrapa. El golpe que se dan con los cascos es verdaderamente terrible y a Neely le cuesta levantarse.»

Neely:

—No veía nada. Nunca me habían golpeado así. Me pasé medio minuto o más sin ver nada.

Paul:

—No queríamos desperdiciar un tiempo muerto, así que tiramos de él hasta conseguir que se pusiera en pie y lo arrastramos hasta la reunión.

Silo:

—A él también le di una bofetada, y en ese caso resultó de gran ayuda.

Neely:

—No lo recuerdo.

Paul:

—Era cuarta y uno. Neely aún estaba medio atontado, así

que ordené yo mismo la jugada. Qué más puedo decir, soy un genio.

«Cuarta y uno, los Spartans se acercan despacio a la línea. Crenshaw no está en muy buenas condiciones, parece que le cuesta tenerse en pie. Qué gran jugada. Qué gran jugada. Podría ser la jugada decisiva, amigos. El East Pike tiene a nueve hombres en la línea. Formación con dos tight ends y sin receptores. Crenshaw se coloca tras el centro, snap largo, rápido pitch para Mabry, quien se detiene, salta, y cuela un pase por en medio de la línea para Heath Dorcek. ¡Y este se aleja! ¡Va por la treinta! ¡Por la veinte! ¡Le golpean en la diez! ¡Tropieza y cae en la tres! ¡Primera y gol para los Spartans!»

Paul:
—No he visto jamás un pase más peligroso en un partido organizado. De extremo a extremo, menudo suicidio. Pero, joder, qué bonito.
Silo:
—Precioso. Normalmente Dorcek no pillaba ni la gripe, por eso Neely nunca le lanzaba el balón.
Nat:
—Nunca he visto a nadie tan lento, parecía un búfalo mastodóntico y renqueante.
Silo:
—Pues a ti te dejaría atrás, imbécil.
Neely:
—La jugada se hizo eterna, y cuando Heath volvió a la reunión tenía los ojos llenos de lágrimas.
Paul:
—Yo miré a Neely y él dijo: «Ordena tú la jugada». Recuerdo que miré el reloj, quedaban tres minutos y cuarenta segundos y teníamos que marcar dos veces. «Vamos a hacerlo ahora y no en la tercera oportunidad», dije. «Corre detrás de mí», me propuso Silo.

«Están a solo tres yardas de la tierra prometida, amigos, y ahí van los Spartans, dirigiéndose a toda prisa hacia la línea, formando con rapidez y el snap también. Jugada personal de Crenshaw, ¡y entra en la zona de anotación! ¡Silo Mooney y Barry Vatrano se llevan por delante todo el centro de la línea del East Pike! ¡Touchdown para los Spartans! ¡Touchdown para los Spartans! ¡No los privarán de la victoria! ¡Treinta y uno a veintisiete! ¡Esto es increíble!»

Blanchard:

—Recuerdo que os reunisteis todos antes del saque, el equipo al completo. Casi os penalizan por retraso del juego.

Hubo una larga pausa. Al fin habló Silo.

Silo:

—Estábamos ocupándonos de nuestros asuntos. Teníamos secretos que guardar.

Couch:

—¿Secretos sobre Rake?

Silo:

—Sí.

Couch:

—A esas alturas, ¿aún no había aparecido?

Paul:

—No estábamos pendientes de eso, pero, en algún momento después del saque, en el banquillo corrió la voz de que Rake había vuelto. Lo divisamos en un ángulo de la zona de anotación, estaba allí plantado junto a los otros cuatro entrenadores, aún con sus sudaderas verdes y las manos en los bolsillos, como si con ellos no fuera nada. La imagen era odiosa.

Nat:

—Éramos nosotros contra ellos. El East Pike nos daba igual.

Blanchard:

—Nunca olvidaré aquella imagen: Rake y sus ayudantes estaban en un extremo del campo y cantaban más que un grupo de putas en la iglesia. En aquellos momentos no sabíamos qué hacían allí. Supongo que aún no lo sabemos.

Paul:

—Recibieron instrucciones de mantenerse alejados del banquillo.

Blanchard:

—Instrucciones ¿de quién?

Paul:

—Del equipo.

Blanchard:

—Pero ¿por qué?

Nat se estiró hacia el botón del volumen. La voz de Buck Coffey empezaba a quebrarse por efecto de la emoción, y para compensar la falta de firmeza y claridad, el comentarista optó por gritar más. Cuando el East Pike se dirigió a la línea en primer down, Buck prácticamente se estaba tragando el micrófono.

«Balón en la dieciocho, según el reloj aún quedan tres minutos y veinticinco segundos. Todo cuanto el East Pike ha acumulado en el segundo tiempo son tres primeros downs y sesenta y una yardas de ataque. Todos sus intentos han sido arruinados por unos Spartans de lo más inspirado. Un cambio de rumbo espectacular; ha sido la actuación más osada que he visto en los veintidós años que llevo retransmitiendo los partidos de fútbol de los Spartans.»

Silo:

—Ve al grano, Buck.

«Handoff a la derecha, avanzan una o puede que dos yardas. El East Pike no sabe muy bien qué hacer. Les encantaría consumir tiempo pero necesitan unos cuantos primeros downs. Tres minutos y diez segundos; el reloj corre. Al Messina le quedan los tres tiempos muertos, y los va a necesitar. El East

Pike se lo está tomando con verdadera calma; tardan mucho en formar la reunión, y también en preparar la jugada desde las líneas de banda; el reloj baja a doce, rompen la reunión, van lentamente a la línea. Cuatro, tres, dos, uno, el snap, pitch a la derecha para Barnaby, quien se cuela por la esquina y avanza cinco o seis yardas. Un gran tercer down, tercera y tres en la veinticinco, y el reloj sigue corriendo.»

Un coche se detuvo junto a la puerta. Era blanco y tenía las puertas rotuladas.

—Me parece que Mal ha vuelto —dijo alguien.

El sheriff se tomó su tiempo para salir del vehículo, se estiró y repasó con la mirada el terreno de juego y las gradas. Luego encendió un cigarrillo; el parpadeo de la llama resultaba visible desde la fila treinta, a la altura de la línea de cuarenta yardas.

Silo:

—Seguro que trae más cerveza.

«Los Spartans atacan. Receptores a derecha e izquierda. Formación de escopeta, Waddell recoge el snap, simula un pase a la derecha pero lanza a la izquierda, el balón lo recoge Gaddy en la treinta y dos después de avanzar rápidamente en ángulo, pero Hindu Aiken lo derriba sin miramientos. Primer down para el East Pike, están moviendo las cadenas de yardaje. Quedan dos minutos y cuarenta segundos y los Spartans necesitan a alguien en el área técnica que empiece a tomar decisiones. Están jugando sin ningún entrenador, amigos.»

Blanchard:

—¿Quién tomaba las decisiones?

Paul:

—Después de que consiguieran el primer down, Neely y yo decidimos que era mejor consumir un tiempo muerto.

Silo:

—Me llevé a la defensa hasta la línea de banda y todo el equipo se reunió alrededor. Todo el mundo gritaba. Cuando lo pienso, aún se me pone la piel de gallina.

Neely:

—Sube el volumen, Nat, antes de que Silo se eche a llorar.

«Primer down en la treinta y dos. El East Pike rompe la reunión sin prisas, backfield abierto, receptor a la derecha, el snap, Waddell retrocede para pasar el balón, mira a la derecha y empalma con un down-and-out en la treinta y ocho. El receptor no ha salido de las líneas y el reloj sigue avanzando cuando quedan dos minutos y veintiocho segundos. Y veintisiete.»

Apostado junto a la puerta, Mal Brown fumaba y observaba al grupo de ex Spartans sentados relajadamente en el centro de las gradas. Oyó la radio y reconoció la voz de Buck Coffey, pero no sabía qué partido estaban escuchando. De todos modos, podía imaginarlo. Soltó una bocanada de humo y buscó a Rabbit en la penumbra.

«El East Pike junto a la línea con una segunda y cuatro, dos minutos y catorce segundos para el final del partido. Rápido pitch a la izquierda para Barnaby, ¡y no puede avanzar! Los Utley lo golpean con fuerza en la línea, parece que Ronnie y Donnie tienen a punto un blitz para cada hueco. ¡Ellos han golpeado primero pero detrás todo el equipo se ha abalanzado a la pila! Los Spartans están muy entusiasmados, pero más les vale tener cuidado. Han estado a punto de cometer un golpe tardío.»

Silo:

—Un golpe tardío, violencia innecesaria, media docena de faltas personales... Tienes dónde elegir, Buck. Podrían haber arrojado un pañuelo en cada jugada.

Ronnie:

—Silo andaba repartiendo mordiscos.

«Tercera y cuatro, menos de dos minutos. El East Pike entretiene el juego tanto como puede mientras el tiempo pasa. Los once Spartans aguardan en la línea. ¿Qué preferís? ¿Correr y que os paren en seco o pasar el balón y que os plaquen? Esas son las opciones del East Pike. ¡No pueden mover el balón! ¡Waddell ha vuelto, es un pase de pantalla! ¡Y Donnie Utley corta el balón al suelo! ¡El reloj se detiene! ¡Cuarta y cuatro! ¡El East Pike tendrá que efectuar un punt! ¡Queda un minuto y cincuenta segundos de partido y los Spartans consiguen el balón!»

Mal avanzaba despacio por la pista con otro cigarrillo. Lo observaron aproximarse.

Paul:

—El último retorno de punt había dado resultado, así que decidimos volver a intentarlo.

«Punt bajo, el balón cae en la cuarenta, un gran rebote y luego otro, Alonzo Taylor captura el balón en la treinta y cinco, ¡pero no puede avanzar! ¡Hay pañuelos por todas partes! ¡Podría ser un bloqueo ilegal por la espalda!»

Paul:

—«¿Podría ser?» Hindu bloqueó al tipo por la espalda, fue el bloqueo más bestia que he visto jamás.

Silo:

—Yo ya me disponía a romperle el cuello.

Neely:

—Pero yo te lo impedí, ¿recuerdas? El pobre se retiró al banquillo llorando.

Silo:

—El pobre, el pobre… Si volviera a encontrármelo, le recordaría lo que es un buen bloqueo.

«Así van las cosas, amigos. Los Spartans tienen el balón en su yarda diecinueve, han de recorrer ochenta y una y queda solo un minuto y cuarenta segundos de partido. Van perdiendo por treinta y uno a veintiocho. A Crenshaw le quedan dos tiempos muertos y ningún juego de pase.»

Paul:
—No podía pasar el balón con la mano rota.

«El equipo de los Spartans en pleno se reúne en la línea de banda. Parece que estén rezando.»

Mal subía los escalones despacio, sin su determinación ni su ironía habituales. Nat detuvo la cinta y en las gradas reinó el silencio.

—Chicos —dijo Mal en voz baja—. El entrenador nos ha dejado.

Rabbit emergió de la penumbra y se alejó a grandes zancadas por la pista. Lo observaron desaparecer tras el marcador y unos segundos después todos los focos del poste sudoeste se apagaron.

Rake Field se quedó a oscuras.

La mayoría de los Spartans que guardaban silencio sentados en las gradas no habían conocido Messina sin Eddie Rake. Y según los más mayores, que aún eran muy jóvenes cuando él llegó como un entrenador de fútbol americano de veintiocho años completamente desconocido y con toda su valía por demostrar, su influencia sobre la ciudad había resultado ser tan fuerte que era fácil dar por sentado que siempre había estado allí. Después de todo, la ciudad de Messina no tenía ninguna importancia antes de Rake. Ni siquiera aparecía en el mapa.

La vela había tocado a su fin. Las luces se habían apagado.

Aunque sabían que la muerte de Rake iba a producirse de

forma inminente, la noticia que traía Mal les afectó mucho. Cada uno de los Spartans se sumió en sus propios recuerdos durante unos instantes. Silo depositó en el suelo su botella de cerveza y empezó a golpetearse las sienes con los dedos. Paul Curry posó los codos sobre las rodillas y se quedó mirando el campo, el lugar cercano a la línea de cincuenta yardas donde su entrenador solía bramar y hacer aspavientos, por lo que cuando un partido resultaba tenso nadie se acercaba a él. Neely recordó a Rake en la habitación del hospital, con su gorra verde del Messina en la mano, hablando en voz baja a su ex *all-American*, preocupado por su rodilla y por su futuro. Y tratando de disculparse.

Nat Sawyer se mordió el labio mientras sus ojos se humedecían. Para él Eddie Rake había significado mucho más después de los días en que jugaba al fútbol americano. «Menos mal que está oscuro», pensó Nat para sus adentros. No obstante, sabía que se estaban derramando más lágrimas aparte de las suyas.

Del otro lado del pequeño valle, de algún punto de la ciudad, procedía un quedo tañido de campanas de iglesia. Messina estaba recibiendo la noticia que más temía.

Blanchard Teague fue el primero en hablar.

—Quiero terminar ese partido. Lo hemos estado esperando durante quince años.

Paul:

—Enviamos hacia la derecha a más jugadores de los que la defensa podía marcar, Alonzo consiguió seis o siete yardas y salió del campo.

Silo:

—Habríamos anotado si Vatrano no hubiera fallado un bloqueo a un linebacker. Lo amenacé con caparlo en el vestuario si volvía a fallar.

Paul:

—Ellos tenían a todos los hombres en la línea. Seguí insistiendo para que Neely lanzara algo, aunque fuera un pequeño pase en suspensión por el centro, cualquier cosa para que su secundaria dejara de marcarnos.

Neely:

—Apenas podía sujetar el balón.

Paul:

—Segundo down, hicimos un barrido a la izquierda…

Neely:

—No, segundo down, tres receptores y pase profundo; yo retrocedí atrás para efectuar el pase pero abracé el balón y me eché a correr, conseguí dieciséis yardas pero no pude salir del campo. Devon Bond volvió a golpearme y creí que me moría.

Couch:

—Ya me acuerdo. Pero a él también le costó levantarse.

Neely:

—Él me traía sin cuidado.

Paul:

—El balón estaba en la cuarenta, quedaba más o menos un minuto. ¿No hicimos otro barrido?

Nat:

—Hacia la izquierda, casi un primer down, y Alonzo consiguió salir de las líneas justo enfrente de nuestro banquillo.

Neely:

—Luego volvimos a intentar el pase de opción, pero Alonzo envió el balón muy lejos, casi nos lo interceptan.

Nat:

—De hecho nos lo quitaron, pero el safety tenía un pie encima de la línea.

Silo:

—En ese momento fue cuando te pedí que Alonzo no hiciera más pases.

Couch:

—¿Qué tal en la reunión?

Silo:

—Había mucha tensión, pero cuando Neely nos ordenaba que nos calláramos, nos callábamos. No paraba de decirnos que íbamos a restregarles la victoria por las narices; y, como siempre, nosotros le creímos.

Nat:

—El balón estaba en la cincuenta y quedaban cincuenta segundos.

Neely:

—Ordené un pase de pantalla y funcionó de maravilla. El acoso fue tremendo pero conseguí pasarle el balón a Alonzo con la mano izquierda.

Nat:

—Fue fantástico. Le golpearon en el backfield, se despegó y, de pronto, se encontró con una barrera de bloqueadores.

Silo:

—Fue entonces cuando atrapé al cabrón de Bond, lo pillé distraído mientras se enfrentaba a un bloqueador. Le empotré el casco en el costado izquierdo y tuvieron que llevárselo del campo.

Neely:

—Probablemente eso nos hizo ganar el partido.

Blanchard:

—Aquello era una casa de locos, treinta y cinco mil personas gritando como idiotas, pero aun así oímos el golpe que le diste a Bond.

Silo:

—Fue legítimo. Prefería los ilegales pero no era momento de cometer faltas.

Paul:

—Alonzo avanzó unas veinte yardas. El reloj se detuvo a causa de la lesión, así que aún nos quedaba un poco de tiempo. Neely ordenó tres jugadas.

Neely:

—No quería arriesgarme a que interceptaran el balón o a perderlo y la única manera de dispersar a la defensa era que los receptores se abrieran y usar la formación de escopeta. En primer down corrí para unas diez yardas.

Nat:

—Once. Primer down en la veintiuno y quedaban treinta segundos.

Neely:

—Con Bond fuera de juego, estaba seguro de poder marcar. Si conseguía escabullirme dos veces más llegaría a la zona de anotación. En la reunión pedí a los chicos que se encargaran de derribar a alguien.

Silo:

—Yo les dije que se encargaran de matar a alguien.

Neely:

—Enviaron a los tres linebackers y me pillaron en la línea. Tuvimos que consumir el último tiempo muerto.

Amos:

—¿No pensaste en un gol de campo?

Neely:

—Sí, pero Scobie no tenía mucha fuerza en la pierna… Tenía puntería pero fuerza no.

Paul:

—Además, no había chutado un solo gol de campo en todo el año.

Silo:

—Chutar no era precisamente lo que mejor se nos daba.

Nat:

—Gracias, Silo. Sé que siempre puedo contar contigo.

La última jugada de la milagrosa ofensiva se convirtió en tal vez la más famosa de toda la gloriosa historia del equipo de fútbol americano de los Spartans. Sin tiempos muertos, a veinte yardas de los palos y a dieciocho segundos del final del partido, Neely hizo que los dos receptores se abrieran y recogió el snap en la formación de escopeta. Rápidamente pasó el balón a Marcus Mabry engañando a la defensa. Marcus avanzó tres pasos, luego se detuvo en seco y volvió a pasarle el balón a Neely, quien salió disparado hacia la derecha y empezó a mover el balón como si finalmente fuera a lanzarlo. Al volverse hacia arriba del campo, la línea ofensiva se disgregó y los jugadores salieron corriendo hacia delante para tratar de cargarse a alguien. En la diez, Neely, corriendo como un loco, bajó la cabeza y abordó a un linebacker y un safety con un golpe que habría dejado inconsciente a un simple mortal. Salió girando como una peonza, mareado pero libre, aún le flaqueaban las piernas cuando en la cinco volvieron a golpearlo, y otra vez en la tres, donde prácticamente la defensa en pleno del East Pike lo acorraló. La jugada estaba a punto de tocar a su fin, y el partido también, cuando Silo Mooney y Barry Vatrano se abalanzaron contra la masa humana pendiente de Neely y toda la pila cayó en la zona de anotación. Neely se puso en pie enseguida, aún con el balón aferrado, y miró directamente a Eddie Rake, quien a seis metros de distancia permanecía inmóvil y evasivo.

Neely:

—Durante una décima de segundo, pensé en tirarle el balón, pero entonces Silo me tiró al suelo y todo el mundo me saltó encima.

Nat:

—Todo el equipo estaba en el terreno de juego, además de las animadoras, los preparadores físicos y media banda. Nos penalizaron con quince yardas por celebración excesiva.

Couch:

—A nadie le importó. Recuerdo que miré a Rake y a los otros entrenadores y eran incapaces de moverse. Realmente extraño.

Neely:

—Yo estaba en el suelo, aplastado por todos mis compañeros, y me decía que habíamos conseguido lo imposible.

Randy:

—Yo tenía doce años y recuerdo a todos los hinchas del Messina petrificados en los asientos, agotados; muchos lloraban.

Blanchard:

—Los del East Pike también lloraban.

Randy:

—Aún hicieron una jugada después del saque, ¿verdad?

Paul:

—Sí. Donnie hizo un blitz contra el quarterback y lo aplastó. El partido había terminado.

Randy:

—De repente, todos los jugadores con la camiseta verde salieron disparados del campo; no se estrecharon las manos, ni formaron ninguna reunión. Se dirigieron como locos al vestuario. Todo el equipo se esfumó.

Mal:

—Pensábamos que os habíais vuelto locos. Esperamos un rato, creíamos que volveríais a recoger el trofeo y todo eso.

Paul:

—No pensábamos salir. Enviaron a alguien a buscarnos para la ceremonia pero habíamos cerrado la puerta con el pestillo.

Couch:

—Los pobres tipos del East Pike trataron de sonreír cuando les entregaron el segundo premio, pero aún estaban conmocionados.

Blanchard:

—Rake también desapareció. No sé cómo se las apañaron para que Rabbit saliera al campo y recogiera el trofeo. Fue muy extraño, pero estábamos demasiado entusiasmados para preocuparnos por eso.

Mal se acercó a la nevera de Silo y sacó una cerveza.

—Sírvase usted mismo, sheriff —lo invitó Silo.

—No estoy de servicio. —Dio un gran trago y empezó a bajar los escalones—. El funeral es el viernes, chicos. Al mediodía.

—¿Dónde?

—Aquí. ¿Dónde si no?

Jueves

Neely y Paul se encontraron temprano el jueves por la mañana en la trastienda de la librería, donde Nat preparó otra ración de su altamente adictivo y probablemente ilegal café de Guatemala. Nat tenía trabajo en la tienda, se encontraba junto a la pequeñísima y semiescondida sección de ciencias ocultas con una mujer de aspecto siniestro que tenía el rostro pálido y el pelo negro azabache.

—Es la bruja de la ciudad —dijo Paul con cierto orgullo, como si todas las ciudades debieran tener una bruja, y en voz muy baja, como si la mujer fuera capaz de lanzarles una maldición.

El sheriff llegó unos minutos después de las ocho, iba completamente uniformado y armado hasta los dientes y parecía bastante perdido en la única librería de la provincia que, encima, regentaba un homosexual. Si Nat no fuera un antiguo jugador de los Spartans, Mal lo habría mantenido bajo vigilancia por tratarse de un individuo sospechoso.

—¿Estáis listos, chicos? —gruñó, con evidentes ganas de marcharse.

Con Neely en el asiento del acompañante y Paul en el trasero, se alejaron del centro de la ciudad en un largo Ford de color blanco cuyas puertas rotuladas en negro anunciaban que el coche era propiedad del SHERIFF. Una vez en la carretera principal, Mal pisó el acelerador y accionó el botón que ponía en marcha el parpadeo de luces rojas y azules. Sin embargo, no accionó la sirena. Cuando todo estuvo bien dispuesto, se sentó de lado, tomó su gran vaso de café de poliestireno y posó relajadamente una muñeca sobre el volante. Iban a ciento sesenta por hora.

—Estuve en Vietnam —anunció Mal.

Había elegido él el tema y daba la impresión de que no pensaba parar de hablar en las próximas dos horas. Paul se hundió unos centímetros en el asiento trasero, como si fuera un criminal camino del juicio. Neely observó el tráfico, convencido de que iban a morir en algún espantoso accidente múltiple.

—Estuve en un barco patrullero en el río Bassac. —Dio un ruidoso sorbo de café mientras situaba el emplazamiento—. Íbamos seis en un estúpido barquichuelo que apenas doblaba el tamaño de un bote y nuestro trabajo consistía en patrullar por el río y armar follón. Disparábamos a todo lo que se movía. Éramos idiotas. Si una vaca se acercaba demasiado, hacíamos prácticas de tiro con ella. Si algún agricultor escandaloso levantaba la cabeza del arrozal, nos liábamos a dispararle para contemplar cómo caía sobre el barrizal. Nuestra misión de todos los días no tenía ningún objetivo táctico, así que nos dedicábamos a beber cerveza, fumar hierba, jugar a las cartas y tratar de engatusar a las lugareñas para que subieran al barco con nosotros.

—Seguro que nos cuentas eso por algo —dijo Paul desde detrás.

—Cállate y escucha. Un día estábamos medio dormidos, hacía calor y nos tumbamos al sol a dormitar como tortugas sobre un madero cuando, de repente, se armó la gorda. Nos estaban disparando desde ambas orillas. Sin tregua. Era una emboscada. Había dos tipos abajo. Yo estaba en la cubierta con tres más, y a todos los alcanzaron de inmediato. Cayeron muertos. Muertos a tiros antes de que pudieran sacar sus armas. El aire olía a sangre. Todo el mundo chillaba. Yo estaba tumbado boca abajo, sin atreverme a moverme, cuando le dieron a un barril de combustible. Se suponía que semejante trasto no debía estar en la cubierta, pero ¿qué diantre nos importaba? Nos creíamos invencibles porque teníamos dieciocho años y éramos unos estúpidos. Aquello explotó. Conseguí librarme del fuego zambulléndome en el río. Nadé junto al barco y me aferré a una red de camuflaje que colgaba por la borda. Oía a mis dos amigos gritar dentro del barco. Estaban atrapados, rodeados de humo y fuego por todas partes; no tenían escapatoria. Permanecí debajo del agua tanto tiempo como pude. Cada vez que sacaba la cabeza para tomar aire, los asiáticos lo llenaban todo de plomo a mi alrededor. Plomo a mansalva. Sabían que estaba bajo el agua conteniendo la respiración. Aquello duró mucho rato, mientras el barco se incendiaba y era arrastrado por la corriente. Los gritos y la tos del camarote por fin cesaron, todos habían muerto excepto yo. Ahora los asiáticos se dejaban ver, andaban por ambas orillas como si estuvieran dando el paseo de los domingos. Pura diversión. Yo era el único que quedaba vivo y estaban esperando a que cometiera un error. Buceé por debajo del barco y emergí por el otro lado para tomar un poco de aire. Los balazos me rodeaban por todas partes. Nadé hasta la popa, me aferré al timón un rato, salí a por aire y oí a los asiáticos reírse mientras me rodeaban de fuego. El río estaba lleno de serpientes, esas pequeñas cabronas de veneno mortífero. O sea, que tenía tres opciones: ahogarme, morir de un disparo o aguardar a que me mordieran las serpientes.

Mal dejó el café en un soporte del salpicadero y encendió un cigarrillo. Por suerte, abrió un poco la ventanilla. Neely también abrió la suya. Estaban pasando por tierras de cultivo, recorriendo a gran velocidad las onduladas colinas y dejando atrás tractores y viejas furgonetas.

—¿Qué ocurrió después? —preguntó Neely cuando se hizo patente que Mal pretendía hacerse de rogar.

—¿Sabéis qué me salvó?

—Dínoslo.

—Rake. Eddie Rake. Cuando estaba debajo del barco luchando contra la muerte, no pensé en mi madre ni en mi padre, ni siquiera en mi novia; pensé en Rake. Lo oí gritándonos al final del entreno mientras corríamos esprints. Recordé sus sermones en el vestuario. «No os rindáis nunca, no os rindáis nunca. Uno gana porque es mentalmente más fuerte que el otro, y vosotros sois mentalmente más fuertes porque estáis mejor preparados. Si vais ganando, no os rindáis; si perdéis, no os rindáis. Si os hacen daño, no os rindáis.»

Dio una larga calada al cigarrillo mientras los más jóvenes digerían la historia. Mientras, fuera del coche, los civiles se desviaban al arcén y pisaban a fondo el freno para abrir paso a la emergencia del representante de la ley.

—Al final me dieron en la pierna. ¿Sabías que las balas hieren incluso debajo del agua?

—No lo había pensado —reconoció Neely.

—Pues os aseguro que hieren. Tendón de la corva izquierda. Nunca había sentido tanto dolor, era como un cuchillo ardiendo. Estuve a punto de desmayarme y me costaba respirar. Rake esperaba de nosotros que siguiéramos jugando aunque estuviéramos lesionados, así que me imaginé que me estaba observando. Estaba por allí cerca, en la orilla del río, y observaba lo fuerte que era.

Una calada larga y cancerosa al cigarrillo; un tímido esfuerzo de expulsar el humo por la ventanilla. Una larga pausa mientras Mal se sumía en el horror de aquel recuerdo. Pasó un minuto.

—Es evidente que te salvaste —observó Paul, con ganas de saber el final.

—Tuve suerte. A los otros cinco los enviaron a casa en cajas. El barco ardía sin cesar, a veces ni siquiera podía sujetarme a él porque estaba demasiado caliente. Luego estalló la batería, parecían disparos directos de mortero, y el barco empezó a hundirse. Oía reírse a los asiáticos. Y también oía a Rake en el último cuarto: «Es tiempo de respirar hondo y lanzarse al ataque, tíos. Ahora es cuando se decide si ganamos o perdemos. Resistid, resistid».

—Yo también lo oigo —dijo Neely.

—De repente, los disparos cesaron. Oí ruido de helicópteros. Dos habían visto el humo y decidieron investigar. Bajaron despacio, dispersaron a los asiáticos, soltaron una cuerda y yo pude salir. Cuando me recogían, miré abajo y vi el barco ardiendo. También vi a dos de mis amigos en la cubierta, carbonizados. Estaba en estado de shock y acabé por desmayarme. Más tarde me contaron que al preguntarme cómo me llamaba respondí «Eddie Rake».

Neely miró a su izquierda a la vez que Mal volvía la cabeza hacia el otro lado. Su voz se quebró un poco, luego se enjugó los ojos. Apartó las manos del volante durante unos segundos.

—Así que volviste a casa, ¿no? —dedujo Paul.

—Sí, eso fue lo mejor de todo. Conseguí marcharme de allí. ¿Tenéis hambre, chicos?

—No.

—No.

Era obvio que Mal sí. Pisó a fondo el freno para torcer a la derecha y penetrar en la entrada cubierta de gravilla de una vieja tienda rural. El Ford coleó cuando Mal frenó en seco.

—Tienen las mejores magdalenas de toda esta zona del estado —explicó mientras abría la puerta y se introducía en una nube de polvo.

Lo siguieron hasta la parte opuesta del establecimiento, entraron por una destartalada puerta de rejilla y se encontraron en una pequeña cocina llena de humo. Había cuatro mesas apiñadas alrededor de las cuales se sentaban caballeros de aspecto rústico que devoraban jamón y magdalenas. Por suerte, al menos para Mal, que parecía estar muriéndose de hambre, había tres taburetes vacíos junto a la atestada barra.

—Ponga unas magdalenas por aquí —masculló a una diminuta anciana encorvada sobre un hornillo. Era evidente que no hacía falta ninguna carta.

Con sorprendente rapidez, les sirvió café y magdalenas acompañadas de mantequilla y melaza de sorgo. Mal se lanzó a por la primera, una compacta y oscura masa de manteca y harina que pesaba por lo menos medio kilo. Neely por la izquierda y Paul por la derecha hicieron lo propio.

—Anoche os oí hablar en las gradas, chicos —dijo Mal, cambiando Vietnam por el fútbol americano. Dio un gran mordisco y empezó a masticar a dos carrillos—. Comentabais el partido del año ochenta y siete. Yo estaba allí, como todo el mundo. Nos imaginamos que durante el descanso habría ocurrido algo en el vestuario, alguna bronca entre Rake y vosotros. Nunca he sabido la verdad porque no habéis hablado nunca de ello.

—Llámalo una bronca si quieres —respondió Neely, que aún preparaba su primera y única magdalena.

—Nadie ha hablado nunca de ello —terció Paul.

—¿Qué fue lo que ocurrió?

—Que tuvimos una bronca.

—Eso ya me lo imagino. Ahora Rake está muerto.

—¿Y?

—Y han pasado quince años. Quiero saber la verdad —exigió Mal como si estuviera interrogando a un sospechoso de asesinato en algún rincón de la cárcel.

Neely depositó la magdalena en su plato y se la quedó mirando. Luego se volvió hacia Paul, que asintió. Adelante. Puedes por fin contarlo.

Neely dio un sorbo de café e ignoró la comida. Se quedó mirando la barra mientras se dejaba llevar por los recuerdos.

—Perdíamos por treinta y uno a cero, nos estaban dando una paliza brutal —dijo despacio y en voz muy baja.

—Ya te he dicho que estaba allí —soltó Mal sin dejar de masticar.

—En el medio tiempo nos retiramos al vestuario y esperamos a Rake. Esperamos mucho rato, conscientes de que estaban a punto de comérsenos vivos. Al fin entró junto con los otros entrenadores. Se le veía hecho un basilisco. Nosotros estábamos aterrados. Fue directo hacia mí con la mirada llena de puro odio. No tenía ni idea de qué iba a hacer. «No mereces llamarte jugador de fútbol», me soltó. Yo respondí: «Gracias, entrenador». En cuanto terminé de pronunciar las palabras, levantó la mano izquierda y me soltó un revés en la cara.

—Sonó igual que un bate de béisbol al golpear la pelota —dijo Paul. Él también había perdido todo interés por la comida.

—¿Fue él quien te rompió la nariz? —preguntó Mal, aún bastante interesado en el desayuno.

—Sí.

—¿Y qué hiciste tú?

—Me volví de forma instintiva. No sabía si tenía intención de golpearme otra vez pero no pensaba quedarme plantado esperando. Le propiné un gancho derecho con todas mis fuerzas. Le di de lleno en la mandíbula izquierda, por la parte de la cara.

—No fue un gancho derecho —lo corrigió Paul—. Fue un directo bestial. La cabeza de Rake retrocedió bruscamente, como si acabara de recibir un disparo, y el hombre se desplomó como un saco de cemento.

—¿Lo dejaste k.o.?

—Por completo. El entrenador Upchurch se me acercó a toda pastilla vociferando y echando pestes como si fuera a liquidarme —explicó Neely—. Yo no veía nada, tenía la cara llena de sangre.

—Silo se puso en pie y agarró a Upchurch por el cuello con las dos manos —dijo Paul—. Lo levantó del suelo, lo arrojó contra la pared y le dijo que lo mataría allí mismo si hacía otro movimiento. Rake estaba en el suelo, inconsciente. Snake Thomas y Rabbit junto con uno de los preparadores físicos se agacharon a su lado. Durante unos segundos reinó el caos, luego Silo tiró a Upchurch al suelo y les ordenó que salieran todos del vestuario. Thomas hizo algún comentario y Silo le propinó una patada en el culo. Se llevaron a Rake a rastras y cerramos la puerta con el pestillo.

—A mí me dio por echarme a llorar, no podía parar —confesó Neely.

Mal había dejado de comer. Los tres miraban al frente, hacia la mujer menuda apostada junto al hornillo.

—Encontramos un poco de hielo —prosiguió Paul—. Neely dijo que se había roto la mano. La nariz le sangraba sin parar. Estaba delirando. Silo no hacía más que gritar al equipo. La escena era bárbara.

Mal dio un ruidoso sorbo de café, arrancó un pellizco de magdalena y lo arrastró por el plato como dudando de si comérselo o no.

—Neely estaba tumbado en el suelo, con hielo en la nariz y en la mano, la sangre le resbalaba hacia las orejas. Odiábamos a Rake como nunca se ha odiado a nadie. Teníamos ganas de matar a alguien, y los pobres chicos del East Pike eran a quienes teníamos más a mano.

Después de una larga pausa, Neely añadió:

—Silo se arrodilló a mi lado y empezó a gritarme: «Levanta el culo, don *all-American*. Tenemos que conseguir cinco touchdowns».

—Cuando Neely se levantó, salimos del vestuario como un rayo. Rabbit asomó la cabeza por una puerta y lo último que oí fue a Silo gritarle: «Llévate a esos hijos de puta lejos de nuestra banda».

—Hindu le lanzó una toalla ensangrentada —dijo Neely, aún con un hilo de voz.

—Hacia el final del último cuarto, Neely y Silo reunieron al equipo en el banquillo y nos pidieron que después del partido nos encerráramos corriendo en el vestuario y no saliéramos hasta que todo el mundo se hubiera marchado.

—Y eso hicimos. Esperamos mucho rato —explicó Neely—. Tardamos una hora en tranquilizarnos.

La puerta se abrió tras ellos. Un grupo de hombres salió del establecimiento y otro entró.

—¿Y nunca habíais vuelto a hablar de ello? —se extrañó Mal.

—No. Decidimos echar tierra al asunto —confesó Neely.

—¿Hasta hoy?

—Supongo. Rake ha muerto, ahora ya da igual.

—¿Por qué tanto secretismo?

—Teníamos miedo de que se armara una buena —dijo Paul—. Odiábamos a Rake, pero Rake era Rake. Había golpeado a un jugador, y no a uno cualquiera. La nariz de Neely seguía sangrando después del partido.

—Estábamos hechos un flan —prosiguió Neely—. Me parece que los cincuenta nos echamos a llorar cuanto terminó el partido. Acabábamos de hacer un milagro con unas condiciones imposibles. Y, encima, sin entrenadores. Solo contábamos con nuestras agallas. No éramos más que un puñado de adolescentes que habían sobrevivido a una presión enorme. Decidimos que aquel sería nuestro secreto. Silo se paseó por todo el vestuario mirando a cada uno de los jugadores a los ojos y pidiéndole que se comprometiera a guardar silencio.

—Amenazó con matar a quien lo contara —recordó Paul entre risas.

Mal se dio garbo en verter medio litro de melaza sobre su siguiente objetivo.

—Menuda historia. Me imaginaba algo así.

Paul añadió:

—Lo más extraño es que los entrenadores tampoco volvieron a hablar de ello. Rabbit mantuvo la boca cerrada. Silencio absoluto.

Entre mordiscos, Mal intervino.

—Nos imaginamos más o menos lo que habría ocurrido —dijo—. Sabíamos que había sucedido algo malo durante el descanso. Neely no podía pasar el balón, luego corrió la voz de que a la semana siguiente había aparecido en la escuela con el brazo escayolado. Supusimos que habría golpeado a alguien, seguramente a Rake. A lo largo de los años se oyeron muchos rumores, lo que, como ya sabéis, en Messina no es nada raro.

—No había oído a nadie hablar de ello —dijo Paul.

Mal atacó el café. Ni Neely ni Paul comían ni bebían.

—¿Os acordáis de un tal Tugdale, de cerca de Black Rock? Era un año o dos menor que vosotros.

—Andy Tugdale —recordó Neely—. Un guardia de sesenta kilos. Fiero como un perro guardián.

—El mismo. Hace años lo arrestamos por haber maltratado a su mujer y lo encerramos unas semanas. Yo jugaba con él a las cartas, como siempre que metemos en la cárcel a alguno de los chicos de Rake. Les asigno una celda especial, tienen mejor comida y permisos de fin de semana.

—No hay como ser miembro del círculo para tener enchufe —dijo Paul.

—Algo así. Tú también te alegrarás de serlo cuando te detenga, banquero de pacotilla.

—En fin.

—Sí, en fin. Un día, hablando con Tugdale, le pregunté qué había ocurrido en el descanso del partido del título del ochenta y siete. No dijo ni pío, se puso muy tenso y no soltó prenda. Esperé unos días y volví a preguntárselo. Al final me contó que Silo había echado a los entrenadores del vestuario y les había ordenado que se mantuvieran alejados de la banda. Dijo que había tenido lugar un desencuentro importante entre Rake y Neely. Le pregunté qué era lo que había golpeado Neely para romperse la mano. ¿Una pared? ¿Una taquilla? ¿Una pizarra? Nada de eso. ¿A una persona? Bingo. Pero no pensaba decirme a quién.

—Menudo trabajo policial —exclamó Paul—. La próxima vez votaré por ti.

—¿Nos vamos? —sugirió Neely—. No me gusta esa historia.

Circularon en silencio durante media hora. Andaban zumbando con todas las luces en marcha. De vez en cuando, a Mal se le caía la cabeza por tener que digerir el pesado desayuno.

—No me importa conducir —se ofreció Neely después de que el coche se desviara al pedregoso arcén y anduviera levantando grava más de medio kilómetro.

—No puedes; no está permitido —gruñó Mal, que se había despertado de golpe.

Cinco minutos después volvía a estar medio dormido. A Neely se le ocurrió conversar para mantenerlo despierto.

—¿Detuviste tú a Jesse? —preguntó mientras se ajustaba el cinturón de seguridad.

—No. Fueron los del estado. —Mal se removió en el asiento y alcanzó un cigarrillo. Tenía cosas que contar y se estaba preparando—. Lo echaron del Miami y de la escuela, estuvo poquísimo tiempo en la cárcel y regresó aquí enseguida. El pobre estaba enganchado a las drogas y no era capaz de superarlo. Su familia lo intentó todo: rehabilitación, internamientos, asesoramiento psicológico… Toda esa mierda. Los dejó pelados. El disgusto mató a su padre. La familia Trapp poseía ochocientas hectáreas de la mejor tierra de cultivo de los alrededores y lo perdió todo. Su pobre madre aún vive en aquella gran casa pero el tejado se está derrumbando.

—En fin —exclamó Paul en tono práctico desde el asiento de atrás.

—En fin; Jesse empezó a vender droga y, claro, no se contentó con pequeños trapicheos. Tenía algunos contactos en Dade County, una cosa llevó a otra y en poco tiempo tuvo montado un bonito negocio. Contaba con una organización propia, y mucha ambición.

—¿No mataron a alguien? —se interesó Paul.

—Estaba a punto de contároslo —gruñó Mal, mirando por el retrovisor.

—Solo pretendía ayudar.

—Siempre he querido llevar a un banquero en el asiento de atrás, a un auténtico delincuente de cuello blanco.

—Y yo siempre he querido extinguir el derecho de redimir una hipoteca al sheriff.

—Haya paz —terció Neely—. Estábamos llegando a lo más interesante.

Mal volvió a removerse en el asiento, su abultado vientre rozaba el volante.

Otra fría mirada al retrovisor; luego prosiguió.

—Los de narcóticos de la estatal se fueron acercando con sigilo, como hacen siempre. Pescaron a uno de sus lacayos, lo amenazaron con treinta años de cárcel y sodomía y lo convencieron para que lo soltara todo. Él montó una emboscada con los de narcóticos escondidos detrás de los árboles y hasta debajo de las piedras. Pero la cosa salió mal, tuvieron que empuñar las armas y hubo un tiroteo. Uno de los de narcóticos recibió un disparo en el oído y murió en el acto. Al lacayo también le dieron, pero sobrevivió. Jesse no estaba, pero aquella era su gente. Lo consideraron un caso prioritario y en menos de un año estaba delante del señor juez recibiendo su condena de veintiocho años sin derecho a libertad condicional.

—Veintiocho años —repitió Neely.

—Sí. Yo estaba en la sala y sentí lástima de aquel cabronazo. El tipo lo tenía todo a su favor para jugar en la NFL. Era alto, rápido, rematadamente vil, y encima Rake lo había entrenado desde los catorce años. Rake siempre decía que si Jesse se hubiera ido al A&M, no se habría echado a perder. Él también estaba en el juicio.

—¿Cuántos años ha cumplido ya? —preguntó Neely.

—Nueve o diez. No llevo la cuenta. ¿Tenéis hambre?

—Acabamos de comer —se quejó Neely.

—No es posible que vuelvas a tener hambre —dijo Paul.

—No, pero aquí cerca está el garito donde la señorita Armstrong hace dulce de pacana. No puedo sufrir perdérmelo.

—Mejor pasamos de largo —opinó Neely—. Olvídate y basta.

—Tómatelo con calma, Mal —lo tentó Paul desde detrás.

El Centro de Detención de Budford se encontraba en una desarbolada planicie al final de una solitaria carretera bordeada por kilómetros y kilómetros de alambrada. Neely se deprimió aun antes de divisar ningún edificio.

Las llamadas telefónicas de Mal habían servido para organizarlo todo bien, por lo que cruzaron sin trabas la puerta exterior de la prisión y penetraron en el recinto. En el puesto de control, cambiaron el amplio coche patrulla por los estrechos asientos de un alargado cochecito de golf. Mal se acomodó delante y se puso a charlar sin parar con el conductor, un guardia pertrechado con tantas municiones y artilugios como el mismísimo sheriff. Neely y Paul compartieron el asiento trasero, orientado hacia atrás, mientras circulaban junto a más tela metálica y alambre de espino. Después de dejar atrás el Campo A, vieron por primera vez el edificio, una alta y deprimente construcción de bloques de hormigón ligero con presos repantigados en los escalones de la entrada. A un lado se estaba celebrando un reñido partido de baloncesto. Todos los jugadores eran negros. Al otro, un partido de voleibol jugado solo por blancos estaba en su apogeo. Los Campos B, C y D resultaron igual de lóbregos. ¿Cómo podía nadie sobrevivir allí?, se preguntó Neely.

Torcieron en un cruce y pronto se encontraron en el Campo E, que parecía algo más nuevo. Se detuvieron en el Campo F y caminaron unos cincuenta metros hasta un punto donde la valla cambiaba de dirección noventa grados. El guardia masculló unas palabras al aparato de radio, luego señaló con el dedo y dijo:

—Sigan la valla hasta el poste blanco. Enseguida saldrá.

Neely y Paul empezaron a caminar junto a la valla, donde

el césped se veía recién cortado. Mal y el guardia se quedaron atrás y perdieron todo interés.

Detrás del edificio y al lado de la cancha de baloncesto había una placa de hormigón salpicada por todo tipo de halteras disparejas, bancos de pesas y pilas de pesos muertos. Unos cuantos hombres corpulentos tanto de raza blanca como negra le daban al metal bajo el sol de la mañana, con el desnudo torso perlado de sudor. Era obvio que se dedicaban a levantar pesas varias horas todos los días.

—Ahí está —dijo Paul—. Se está levantando del banco de pesas, a la izquierda.

—Ese es Jesse —observó Neely, cautivado por la escena que pocas personas tenían la oportunidad de presenciar en la vida.

Uno de los encargados de la prisión se acercó a Jesse Trapp y le dijo algo, y este levantó enseguida la cabeza y siguió con la mirada la valla hasta que vio a dos hombres. Arrojó la toalla en el banco y comenzó una lenta, deliberada marcha de Spartan a través de la placa de hormigón, de la desierta cancha de baloncesto y del césped que conducía a la valla del Campo F.

Desde cuarenta metros de distancia, Jesse parecía enorme, pero a medida que se aproximaba la anchura de su pecho, de su cuello y de sus brazos resultaba cada vez más imponente. Habían jugado con él una temporada —él cursaba el último año cuando ellos estaban en segundo— y lo habían visto desnudo en el vestuario. Lo habían visto lanzar halteras cargadísimas en la sala de pesas. Lo habían visto establecer todos los récords de levantamiento de los Spartans.

Ahora parecía el doble de corpulento, el espesor de su cuello era igual que el de un roble, y sus hombros, tan anchos como una puerta. El tamaño de sus bíceps y tríceps superaba en mucho al normal. Su vientre tenía el aspecto de una calle adoquinada.

Llevaba un corte de pelo al rape que aún hacía parecer más simétrica su cuadrada cabeza. Cuando se detuvo y la bajó para mirarlos, sonrió.

—Hola, chicos —los saludó, todavía con la respiración agitada a causa de la última tanda de repeticiones.

—Hola, Jesse —le correspondió Paul.

—¿Cómo estás? —preguntó Neely.

—Bastante bien, no puedo quejarme. Me alegro de veros. No suelo tener muchas visitas.

—Traemos malas noticias, Jesse —anunció Paul.

—Me imagino de qué va.

—Rake ha muerto. Falleció anoche.

Él bajó la barbilla hasta tocar su macizo pecho. Pareció encogerse un poco de cintura para arriba al recibir la noticia.

—Mi madre me escribió y me contó que estaba enfermo —dijo con los ojos cerrados.

—Tenía cáncer. Se lo detectaron hace más o menos un año pero el final ha llegado muy rápido.

—Qué fuerte, tío. A mí me parecía que Rake iba a vivir eternamente.

—A todos nos lo parecía —confesó Neely.

Diez años de prisión habían enseñado a Jesse a controlar cualquier emoción que se cruzara en su camino. Tragó saliva y abrió los ojos.

—Gracias por venir. No teníais ninguna obligación.

—Queríamos verte, Jesse —dijo Neely—. Pienso en ti continuamente.

—El gran Neely Crenshaw.

—De eso hace mucho tiempo.

—¿Por qué no me escribes? Aún me quedan dieciocho años aquí.

—Lo haré, Jesse, te lo prometo.

—Gracias.

Paul dio una patada al césped.

—Escucha, Jesse, las exequias tendrán lugar mañana, en el campo. Casi todos los chicos de Rake asistirán, ya sabes, para decirle adiós. Mal cree que podría tocar algunas teclas y conseguirte un permiso.

—De eso nada, tío.

—Tienes a muchos amigos allí, Jesse.

—Los tenía, Paul, pero los he decepcionado. Todos me señalarían con el dedo y dirían: «Mira, ahí está Jesse Trapp. Podría haber sido un gran jugador pero se metió en asuntos de drogas y echó a perder su vida. Aprended la lección, niños. Alejaos de las malas influencias». No, gracias. No quiero que me pongan en evidencia de esa manera.

—A Rake le gustaría que estuvieras allí —insistió Neely.

Jesse volvió a bajar la cabeza y a cerrar los ojos. Permaneció así un momento.

—Quería a Eddie Rake más de lo que he querido a nadie en toda mi vida. Él estaba en el juicio el día en que me condenaron. Había echado a perder mi vida y me sentía humillado. Había destrozado a mis padres y eso me hacía sufrir mucho. Pero lo que más dolía era haberle fallado a Rake. Todavía me duele. Podéis enterrarlo perfectamente sin mí.

—Es tu oportunidad, Jesse —dijo Paul.

—Gracias, pero paso.

Hubo una larga pausa mientras los tres bajaban la cabeza y se quedaban mirando el césped. Al fin, Paul dijo:

—Voy a ver a tu madre una vez a la semana. Está bien.

—Gracias. Siempre viene a verme el tercer domingo del mes. Vosotros también tendríais que venir de vez en cuando, a saludar. Aquí estoy bastante solo.

—Cuenta conmigo, Jesse.

—¿Me lo prometes?

—Te lo prometo. Y me gustaría que te pensaras lo de mañana.

—Ya me lo he pensado. Yo rezaré por Rake pero enterradlo vosotros.

—Me parece justo.

Jesse miró hacia la derecha.

—¿Es Mal ese de ahí?

—Sí, nos ha traído en su coche.

—Decidle de mi parte que se joda.

—Yo lo haré, Jesse —se ofreció Paul—. Con mucho gusto.

—Gracias, chicos —se despidió Jesse.

Dio media vuelta y se alejó.

A las cuatro en punto de la tarde del jueves la multitud que aguardaba frente a la puerta de Rake Field abrió paso y el coche fúnebre se desplazó marcha atrás hasta ocupar la debida posición. La puerta trasera se abrió y ocho portadores formaron dos cortas filas y sacaron el féretro. Entre ellos no había ningún antiguo Spartan. Eddie Rake había dedicado mucho tiempo a pensar en los detalles póstumos y había decidido no incluir a sus favoritos en la alineación. Eligió a los portadores de entre sus ayudantes.

La procesión avanzaba despacio por la pista. Detrás del féretro iban la señora Lila Rake, sus tres hijas con sus maridos y una magnífica colección de nietos. A continuación iba un sacerdote; y, por último, los tambores de la banda musical de los Spartans, que al pasar ante las gradas locales tocaron un quedo redoble.

Junto a la línea de banda del campo, entre las cuarenta y las cincuenta yardas de la zona local, había una gran carpa blanca con los palos enterrados en cubos de arena para no estropear el sagrado césped Bermuda de Rake Field. En la línea de cincuenta yardas, en el lugar exacto desde donde Eddie Rake había dirigido los entrenos durante tantos años y con tanto acierto, se detuvieron con el féretro. Lo depositaron sobre una antigua mesa irlandesa, propiedad de la mejor amiga de Lila, y lo rodearon rápidamente de flores. Cuando el entrenador estuvo bien dispuesto, la familia se reunió alrededor del féretro para ofrecer una breve plegaria. Luego se colocaron en fila para recibir el pésame.

La cola se extendía por la pista y más allá de la puerta, y los coches aparcados en la carretera de Rake Field se agolpaban unos contra otros.

Neely pasó tres veces frente a la casa antes de armarse de valor y parar. En la entrada había un coche de alquiler. Cameron había vuelto. Mucho después de la hora de cenar, llamó a la puerta casi tan nervioso como la primera vez que lo hiciera. En aquel entonces, con quince años, el carnet de conducir recién estrenado, el coche de sus padres, veinte dólares en el bolsillo y la cara despojada de pelusilla, se había presentado allí para recoger a Cameron el día de su primera cita oficial.

De eso hacía un siglo.

La señora Lane abrió la puerta, como siempre, pero esa vez no reconoció a Neely.

—Buenas noches —dijo con voz dulce. Seguía siendo bella y amable; se negaba a envejecer.

—Señora Lane, soy yo, Neely Crenshaw.

Mientras pronunciaba las palabras, ella lo reconoció.

—Vaya, claro, Neely, ¿cómo estás?

Él suponía que en aquella casa habrían echado pestes de él durante mucho tiempo y, por tanto, no sabía cómo iban a recibirlo. Pero los Lane eran muy corteses, tenían un nivel de estudios y una posición económica superiores a la mayoría de la gente de Messina. Si le guardaban algún rencor, y estaba seguro de que alguno sí que le guardaban, no lo demostrarían. Por lo menos los padres.

—Estoy bien —respondió.

—¿Quieres pasar? —le ofreció, abriendo la puerta. Fue un gesto tibio.

—Claro, gracias. —En el recibidor, Neely miró en torno a él y dijo—: Sigue teniendo una casa muy bonita, señora Lane.

—Gracias. ¿Puedo ofrecerte un té?

—No, gracias. De hecho, he venido a ver a Cameron. ¿Está en casa?

—Sí.

—Me gustaría saludarla.

—Siento mucho lo del entrenador Rake. Sé que para vosotros, los chicos, lo era todo.

—Sí, señora.

Miraba alrededor, trataba de oír las voces del interior de la casa.

—Voy a buscar a Cameron —dijo la mujer, y desapareció.

Neely aguardó y aguardó, y al final se volvió hacia la gran ventana ovalada de la puerta principal y observó la calle a oscuras.

Tras de sí oyó unos pasos seguidos de una voz familiar.

—Hola, Neely —lo saludó Cameron.

Él se dio la vuelta y ambos se miraron. Neely se quedó sin palabras unos instantes, de modo que se encogió de hombros y al fin espetó:

—Pasaba por aquí y se me ha ocurrido saludarte. Hace mucho tiempo de la última vez que nos vimos.

—Sí.

La gravedad de su error lo atenazó con fuerza.

Ella estaba mucho más guapa que en la época del instituto. Llevaba el abundante pelo rojizo recogido en una coleta. Sus ojos azul oscuro lucían una elegante montura de diseño. Llevaba puesto un grueso jersey de algodón y unos ajustados tejanos desteñidos que evidenciaban que era una dama que guardaba la línea.

—Tienes un aspecto fantástico —dijo Neely mientras la contemplaba.

—Tú también.

—¿Podemos hablar?

—¿De qué?

—De la vida, de amor, de fútbol… Es muy probable que no volvamos a vernos nunca más y hay algo que quiero decirte.

Ella abrió la puerta. Caminaron a través del amplio porche y se sentaron en los escalones de la entrada. Ella se cuidó de dejar una gran distancia entre ambos. Pasaron cinco minutos en silencio.

—He visto a Nat —empezó él—. Me ha dicho que vives en Chicago, que estás felizmente casada y tienes dos niñas pequeñas.

—Es cierto.

—¿Con quién te casaste?

—Con Jack.

—¿Jack qué más?

—Jack Seawright.

—¿De dónde es?

—Lo conocí en DC. Fui allí a trabajar cuando acabé la universidad.

—¿Cuántos años tienen tus hijas?

—Cinco y tres.

—¿Y a qué se dedica Jack?

—A los *bagels*.

—¿*Bagels*?

—Sí, son unas pastas redondas. En Messina no las hay.

—Ya. ¿Quieres decir que tiene una tienda de *bagels*?

—Unas cuantas.

—¿Más de una?

—Ciento cuarenta y seis.

—Así que te van bien las cosas.

—Su empresa está valorada en ocho millones de dólares.

—Vaya. Mi pequeña empresa vale doce mil como mucho.

—Has dicho que querías decirme algo.

Ella no había mostrado la mínima intención de romper el hielo. No sentía ningún interés por conocer la vida de Neely.

Neely oyó unos quedos pasos en la tarima del recibidor. Sin duda la señora Lane había vuelto y trataba de enterarse de la conversación. Había cosas que no cambiaban nunca.

Se levantó un ligero viento y esparció hojas de roble por la enladrillada acera frente a ellos. Neely se frotó las manos y dijo:

—Muy bien. Ahí va. Hace mucho tiempo, me porté muy mal, hice una cosa de la que me he avergonzado durante muchos años. Me equivoqué. Fui estúpido, mezquino, indecente, egoísta y pernicioso, y cuanto mayor me hago, más lo lamento. Me estoy disculpando, Cameron, y te pido que me perdones.

—Estás perdonado. Olvídalo.

—No puedo olvidarlo. Y no seas tan amable.

—Éramos niños, Neely. Teníamos dieciséis años. Era otro momento.

—Estábamos enamorados, Cameron. Yo te adoraba desde que teníamos diez años y nos dábamos la mano detrás del gimnasio para que los otros chicos no me vieran.

—No me apetece nada oír todo eso.

—Muy bien, pero ¿puedo al menos descargarme? Y ¿podrías tratar de hacerlo doloroso?

—Ya lo he superado, Neely; por fin.

—Tal vez yo no.

—¡Pues organízate la vida! Y, de paso, a ver si creces. Ya no eres ningún héroe futbolístico.

—Exacto. Eso es lo que quería oír. Adelante, dispara las dos armas.

—¿Has venido a pelear, Neely?

—No, he venido a disculparme.

—Pues ya te has disculpado. Ahora, ¿por qué no te marchas?

Él se mordió la lengua y dejó pasar unos segundos. Luego dijo:

—¿Por qué quieres que me marche?

—Porque no me gustas, Neely.

—Es normal.

—Tardé diez años en apartarte de mi vida. Cuando me enamoré de Jack, por fin fui capaz de olvidarte. Esperaba no volver a verte nunca.

—¿Piensas en mí de vez en cuando?

—No.

—¿Nunca?

—Tal vez una vez al año, en algún momento de debilidad.

Una vez Jack estaba viendo un partido de fútbol, el quarter-back se lesionó y se lo llevaron del campo en camilla. Entonces pensé en ti.

—Y fue un recuerdo agradable.

—No, desagradable.

—Yo pienso en ti continuamente.

El hielo se resquebrajó un poquito cuando ella suspiró con aire frustrado. Se inclinó hacia delante y apoyó ambos codos sobre las rodillas. Tras ellos la puerta se abrió y la señora Lane apareció con una bandeja.

—He pensado que os apetecería un poco de chocolate caliente —dijo, depositando la bandeja en el borde del porche, dentro del amplio espacio que los separaba.

—Gracias —dijo Neely.

—Os irá bien para no coger frío —añadió la señora Lane—. Cameron, deberías ponerte unos calcetines.

—Sí, mamá.

La puerta se cerró y ambos ignoraron el chocolate caliente. Neely quería mantener una larga conversación que cubriera varios temas y muchos años. Un día ella había albergado sentimientos, sentimientos muy fuertes, y quería confirmarlos. Quería lágrimas y rabia, tal vez una o dos disputas. Y quería que lo perdonara de verdad.

—¿Estabas viendo un partido de fútbol?

—No. Era Jack quien lo estaba viendo. Yo pasaba por allí.

—¿Jack es aficionado al fútbol?

—No mucho. Si lo fuera, no me habría casado con él.

—Así que sigues detestando el fútbol.

—Por así decirlo. Estudié en Hollins, una escuela femenina, así que pude librarme del fútbol. Mi hija mayor ha empezado sus estudios en una pequeña academia privada, y allí no se juega al fútbol.

—Entonces ¿por qué estás aquí?

—Por la señorita Lila. Fue mi profesora de piano durante doce años.

—Es cierto.

—Te aseguro que no he venido para honrar a Eddie Rake.

Cameron tomó una taza y la rodeó con ambas manos. Neely hizo lo propio.

Cuando resultó evidente que él no tenía ninguna prisa por marcharse, ella se abrió un poco.

—En Hollins, había una chica de mi círculo de amistades cuyo hermano jugaba en el State. Un día, cuando cursábamos segundo, ella estaba viendo un partido y yo entré en su habitación. Allí estaba el gran Neely Crenshaw, dirigiendo al Tech arriba y abajo del campo, volviendo loca a la afición, haciendo que los locutores sintieran vértigo ante el excelente y joven quarterback. Pensé: «Bueno, eso es lo que siempre ha querido. Convertirse en un gran héroe. Que las masas lo adoren y que sus compañeras de estudios lo persigan por el campus y se arrojen a sus brazos. La adulación constante. Ser el *all-American* universal. Ese es Neely».

—Dos semanas después ingresaba en el hospital.

Ella se encogió de hombros.

—Yo no lo sabía. No seguía tu importante carrera.

—¿Quién te lo dijo?

—Regresé a casa por Navidad y quedé para comer con Nat. Él me contó que no podrías volver a jugar. Es un deporte de lo más estúpido. Niños y jóvenes se destrozan el cuerpo de por vida.

—Sí que lo es.

—Dime, Neely, ¿qué pasó con las chicas? Cuando dejaste de ser un héroe, ¿qué pasó con todas esas putillas y garrapatas?

—Se esfumaron.

—Seguro que te sentó como un tiro.

«Vamos progresando —pensó Neely—. Deja que salga el veneno.»

—Nada relacionado con la lesión fue agradable.

—¿Así que te convertiste en una persona normal, como todos nosotros?

—Supongo que sí, pero con todo un historial sobre mis espaldas. Ser un héroe olvidado no es nada fácil.

—¿Y aún te estás acostumbrando?

—Cuando has sido famoso a los dieciocho años, pasas el resto de tu vida apagándote cada vez más. Sueñas con los días gloriosos pero sabes que se han ido para siempre. Ojalá nunca hubiera visto un balón de fútbol.

—No me creo que pienses así.

—Sería un tipo normal, con dos piernas en condiciones. Y no habría cometido el error que cometí contigo.

—Por favor, Neely, no te pongas ñoño. Solo teníamos dieciséis años.

Otra larga pausa mientras ambos bebían de sus tazas y se preparaban para el siguiente saque y voleo. Neely había planeado el encuentro durante semanas. Cameron no tenía ni idea de que iba a volver a verlo. Aun así, el factor sorpresa no lo ayudó. Ella tenía respuesta para todo.

—No me dices gran cosa —le reprochó él.

—No tengo nada que decirte.

—Vamos, Cameron, es tu oportunidad de disparar las dos armas.

—¿Por qué tendría que hacerlo? Estás tratando de obligarme a desenterrar recuerdos que tardé años en olvidar. ¿Qué te hace pensar que quiero volver a la época del instituto y arder de rabia? Yo ya lo he superado, Neely, pero es evidente que tú no.

—¿Quieres saber qué ha sido de Screamer?

—No, por Dios.

—Trabaja sirviendo copas en un casino barato de Las Vegas, está gorda y fea, tiene treinta y dos años y aparenta cincuenta; todo eso según Paul Curry, que fue quien la vio allí. Parece ser que estuvo en Hollywood e intentó alcanzar el estrellato pasando por la cama, pero se estrelló contra los miles y miles de provincianas despampanantes que iban por el mismo camino.

—No me sorprende.

—Paul dice que se la ve consumida.

—Estoy segura de que tiene razón. Ya se la veía consumida en el instituto.

—¿Eso hace que te sientas mejor?

—Me sentía estupendamente antes de que tú llegaras, Neely. No siento ningún interés por ti ni por tu provinciana despampanante.

—Vamos, Cameron. Sé sincera. Seguro que te alegras de saber que Screamer anda dando tumbos por los callejones mientras a ti la vida parece irte la mar de bien. Has ganado.

—No se trataba de ninguna competición. Me da igual.

—Antes no te daba igual.

Ella dejó la taza sobre la bandeja y volvió a inclinarse hacia delante.

—¿Qué quieres que te diga, Neely? ¿Quieres que haga evidente lo que ya lo es? Cuando era una adolescente, te amaba con locura. No es nada que deba sorprenderte porque te lo decía todos los días, y tú me decías lo mismo. Pasábamos todo el tiempo juntos, íbamos juntos a clase y a todas partes. Pero te convertiste en un gran héroe futbolístico y todo el mundo te quería para sí. Sobre todo Screamer. Tenía largas piernas, un bonito trasero, minifaldas, las tetas grandes y el cabello rubio, y no sé cómo te convenció para que te acostaras con ella en su coche. Tú decidiste que querías más de lo mismo. Yo era una buena chica y me tocó pagarlo. Me rompiste el corazón, me humillaste delante de todos los que me conocían y me destrozaste la vida durante mucho tiempo. No veía el momento de abandonar esta ciudad.

—Aún me cuesta creer que hiciera todo eso.

—Pues lo hiciste.

Cameron tenía la voz crispada y se la oyó quebrarse un poco. Apretó los dientes, decidida a no mostrar ninguna emoción. No volvería a hacerla llorar.

—Lo siento. —Neely se puso en pie despacio, con cuidado de no poner demasiado peso en la rodilla izquierda. Le dio una palmada en el brazo y le dijo—: Gracias por darme la oportunidad de decírtelo.

—No hay de qué.

—Adiós.

Se alejó por la acera cojeando un poco y cruzó la verja. Cuando estuvo junto al coche, ella lo llamó.

—Neely, espera.

Gracias a su ardiente romance con Brandy Skimmel, alias Screamer, ahora también conocida por unos cuantos como Tessa Canyon, Neely sabía de todos los oscuros callejones y desiertas calles de Messina. Rodeó Karr's Hill, donde se detuvieron un momento para mirar desde las alturas el campo de fútbol americano. La cola de quienes ofrecían sus condolencias aún avanzaba por la pista y llegaba hasta la puerta. Los focos de la zona local estaban encendidos. El aparcamiento estaba lleno de coches que llegaban y partían.

—Decían que, después de que lo echaran, Rake se sentaba aquí y observaba los partidos.

—Tendrían que haberlo metido en la cárcel —opinó Cameron; fueron sus primeras y únicas palabras desde que salieran de su casa.

Aparcaron junto a un campo de entrenamiento y se colaron por una puerta de la zona de visitantes. Fueron arriba de todo de las gradas y se sentaron, de nuevo dejando un espacio entre ambos pero menor que el del porche de entrada. Durante largo rato, contemplaron la escena del otro lado del campo.

La blanca carpa se elevaba como una pequeña pirámide frente a las gradas locales. Bajo esta, el féretro apenas resultaba visible. Una multitud se reunía alrededor y disfrutaba del velatorio. La señorita Lila y los familiares se habían marchado. Hileras de flores se acumulaban en torno a la carpa y hacia ambos lados de la línea de banda. Un silencioso desfile de dolientes avanzaba con lentitud por la pista mientras aguardaba con paciencia la oportunidad de firmar el libro, contemplar el féretro, tal vez derramar una lágrima y despedirse de su leyenda. En las gradas, por encima de la fila de gente, chicos de Rake de todas las edades se reunían en pequeños grupos; algunos hablaban, otros reían y la mayoría se limitaba a observar el campo, la carpa y el féretro.

Solo dos personas se encontraban en las gradas de los visitantes sin que nadie se percatara de su presencia.

Cameron habló primero, muy bajito.

—¿Quiénes son todos esos que hay en las gradas?

—Jugadores. Yo estuve allí anoche y anteanoche, aguardando a que Rake muriera.

—¿Todos han vuelto a casa?

—La mayoría. Tú también has vuelto a casa.

—Por supuesto. Es el entierro de nuestro ciudadano más famoso.

—No te caía bien Rake, ¿verdad?

—No era admiradora suya. La señorita Lila es una mujer fuerte, pero no hacían buena pareja. Él era un dictador en el campo, y tenía dificultades para cambiar de actitud al llegar a casa. No, no me preocupaba lo más mínimo Eddie Rake.

—Detestabas el fútbol.

—Te detestaba a ti, y eso me hizo detestar el fútbol.

—Dale, más fuerte.

—Me parecía cosa de idiotas. Hombres hechos y derechos llorando tras una derrota. La ciudad entera vivía y moría en cada partido. Todos los viernes por la mañana se celebraban desayunos para rezar por el equipo, como si a Dios fuera a importarle quién gana un partido de fútbol de instituto. Se invertía mucho más dinero en el equipo de fútbol que en todos los otros grupos de estudiantes juntos. Se veneraba a unos chicos de diecisiete años que pronto se creían con todo el derecho de que los veneraran. La doble moral: si un jugador de fútbol copiaba en un examen, todo el mundo hacía lo posible por encubrirlo; si quien copiaba no era deportista, lo suspendían. Las estúpidas jovencitas que no veían la hora de entregarse a un Spartan. Todo por el bien del equipo. Messina necesita que sus jóvenes vírgenes lo sacrifiquen todo. Ah, casi se me olvidan. ¡Las animadoras particulares! Cada jugador tenía una pequeña esclava que le horneaba galletas los miércoles, le colocaba una insignia del equipo en el jardín los jueves y le pulía el casco los viernes; y ¿qué os ganabais los sábados, Neely? ¿Un polvito?

—Solo si nosotros queríamos.

—Qué triste. Gracias por alejarme de todo eso.

Mirándolo con la perspectiva de quince años, incluso a él le parecía cosa de idiotas.

—Pero bien asistías a los partidos —dijo Neely.

—A unos cuantos. ¿Tienes idea de lo que es esta ciudad un viernes por la noche al margen del fútbol? No hay un alma en ninguna parte. Phoebe Cox y yo nos colábamos en la zona de visitantes y veíamos los partidos. Siempre deseábamos que el Messina perdiera, pero eso nunca ocurría; por lo menos aquí no. Nos burlábamos de la banda y de las animadoras, de la cuadrilla de esclavas y de todo lo demás, y lo hacíamos porque no formábamos parte de ello. Yo no veía la hora de empezar la universidad.

—Yo sabía que estabas aquí.

—No, no lo sabías.

—Te juro que lo sabía.

Risas lejanas atravesaron el campo al compartir los chicos de Rake otra historia sobre el entrenador. Neely a duras penas distinguía a Silo y a Paul en un grupo junto con diez más, justo debajo de la cabina de prensa. La cerveza corría como agua.

—Después de que te precipitaras al coche de Screamer —dijo Cameron—, y me dejaras tirada, pasamos dos años más en este centro. Había momentos en que nos encontrábamos en el pasillo, o en la biblioteca, o incluso en clase, y nuestras miradas se cruzaban, solo un segundo. El gesto engreído y la mirada arrogante del héroe universal desaparecían. Por una fracción de segundo me mirabas como una persona de carne y hueso, y yo sabía que aún te importaba. Te habría vuelto a hacer mío sin pensarlo dos veces.

—Y yo te quería.

—Cuesta creerlo.

—Es cierto.

—Pero, por supuesto, el deseo sexual era más fuerte.

—No podía evitarlo.

—Felicidades, Neely. Screamer y tú empezasteis vuestras aventuras a los dieciséis años. Mírala ahora. Gorda y consumida.

—¿Llegaste a enterarte de que se quedó embarazada?

—¿Y me lo preguntas? En esta ciudad hay más rumores que mosquitos.

—El verano anterior a nuestro último curso me dijo que estaba embarazada.

—Qué sorpresa. Biología elemental.

—Viajamos en coche hasta Atlanta, abortó y regresamos a Messina. Te juro que yo no se lo conté a nadie.

—Veinticuatro horas de descanso y vuelta a la rutina.

—Más o menos.

—Mira, Neely. Estoy muy cansada de tu vida sexual. Fue mi cruz durante muchos años. O cambias de tema o me voy.

Otra larga y violenta pausa mientras observaban la fila de dolientes y pensaban sobre qué decir a continuación. Un golpe de aire les azotó la cara y ella se tapó el pecho con los brazos. Él contuvo las ganas de acercársele y abrazarla. No habría salido bien.

—No me has preguntado nada sobre mi vida actual —se extrañó él.

—Lo siento. Dejé de pensar en ti hace mucho tiempo. No puedo mentirte, Neely. Para mí ya no cuentas.

—Siempre has sido muy franca.

—La franqueza es algo bueno. Ahorra mucho tiempo.

—Vendo inmuebles, vivo solo con mi perro, salgo con una chica que en realidad no me gusta, también salgo con otra que tiene dos hijos y echo mucho de menos a mi ex mujer.

—¿Cuál fue la causa del divorcio?

—Ella se desmoronó. Sufrió dos abortos, el segundo en el cuarto mes. Cometí el error de contarle que una vez pagué por un aborto y me acusó de la pérdida de los bebés. Tenía razón. El precio real de un aborto es mucho mayor que los trescientos miserables dólares de la clínica.

—Lo siento.

—Diez años después de la semana en que Screamer y yo hiciéramos nuestro pequeño viaje a Atlanta mi esposa tuvo el segundo aborto. Era un niño.

—Ahora sí que quiero marcharme.

—Lo siento.

Se sentaron de nuevo en los escalones de la entrada. Las luces estaban apagadas. El señor y la señora Lane estaban durmiendo. Eran más de las once.

—Creo que deberías marcharte ya —dijo Cameron unos minutos después.

—Tienes razón.

—Antes me has dicho que piensas en mí continuamente. Siento curiosidad por saber el motivo.

—No tenía ni idea de lo doloroso que resulta que te rompan el corazón hasta que mi mujer hizo las maletas y se marchó. Fue una pesadilla. Por primera vez fui consciente de cuánto habías sufrido tú, de lo cruel que había sido.

—Lo superarás. Se tardan diez años.

—Gracias.

Él empezó a alejarse por la acera, luego dio media vuelta y retrocedió.

—¿Cuántos años tiene Jack? —preguntó.

—Treinta y siete.

—Entonces, por probabilidad, debería morir antes que tú. Llámame cuando te deje. Te estaré esperando.

—Ya lo creo.

—Te lo juro. ¿No te reconforta saber que siempre habrá alguien esperándote?

—No se me había ocurrido pensarlo.

Él se inclinó y la miró a los ojos.

—¿Puedo besarte en la mejilla?

—No.

—El primer amor tiene algo de mágico, Cameron, algo que siempre echaré de menos.

—Adiós, Neely.

—¿Puedo decirte que te amo?

—No. Adiós, Neely.

Viernes

Messina se puso de luto como nunca antes lo había hecho. Hacia las diez de la mañana del viernes, las tiendas, los cafés y las oficinas de la plaza cerraron sus puertas. Todos los alumnos salieron del instituto. El palacio de Justicia cerró. Las fábricas de las afueras de la ciudad interrumpieron su actividad y concedieron el día libre a los trabajadores, aunque pocos tenían el ánimo festivo.

Mal Brown colocó a sus ayudantes alrededor del instituto, donde el tráfico de media mañana saturaba la carretera de Rake Field. Hacia las once, las gradas locales estaban prácticamente llenas, y los ex jugadores, los antiguos héroes, se reunían arremolinándose alrededor de la carpa en la línea de cincuenta yardas. La mayoría llevaba puesta la camiseta verde de los partidos, un regalo para todos los veteranos. Y la mayoría de las camisetas quedaban demasiado ceñidas en la cintura. Unos cuantos —los abogados, los médicos y los banqueros— llevaban una chaqueta de chándal sobre la camiseta, pero el color verde quedaba a la vista.

Desde las gradas de más arriba, los aficionados observaban la carpa y el campo y disfrutaban de la oportunidad de identificar a sus antiguos héroes. Aquellos cuyos números habían retirado eran quienes causaban mayor expectación.

—Ahí está Roman Armstead, el número Ochenta y uno, jugaba con los Packers.

—Ese es Neely, el número Diecinueve.

El cuarteto de cuerda del último curso tocó bajo la carpa y el sistema de megafonía elevó su sonido de punta a punta del campo. Seguían llegando ciudadanos.

No había ningún ataúd presente. Eddie Rake ya estaba bajo tierra. La señorita Lila y su familia llegaron sin ceremonias y pasaron media hora abrazando a antiguos jugadores frente a la carpa. Justo antes del mediodía apareció el sacerdote y a continuación un coro, pero aún faltaba mucho para que toda la multitud estuviera situada. Cuando las gradas se llenaron, la gente empezó a formar una hilera junto a la valla que rodeaba la pista. No había prisa. Esos momentos siempre serían muy apreciados y recordados en Messina.

Rake quería a sus chicos en el campo, agrupados junto al pequeño atril cercano a un extremo de la carpa. Y quería que llevaran puestas sus camisetas, una petición que se había difundido con discreción en sus últimos días. Una lona alquitranada cubría la pista y cientos de sillas plegables se habían dispuesto en forma de media luna. Sobre las doce y media, el padre McCabe hizo una señal y los jugadores empezaron a colocarse muy juntos en sus asientos. La señorita Lila y los familiares ocuparon las primeras filas.

Neely se sentó entre Paul Curry y Silo Mooney, con treinta miembros más del equipo de 1987 a su alrededor. Dos habían muerto y seis habían desaparecido. El resto no había podido asistir.

Una gaita empezó a gemir desde la portería y la multitud guardó silencio. Silo tuvo que enjugarse las lágrimas casi de inmediato, y no fue el único. A medida que las melancólicas notas se elevaban por el campo los dolientes se iban soltando y se preparaban para vivir momentos de intensa emoción. El padre McCabe se aproximó con lentitud al improvisado atril y ajustó el micrófono.

—Buenas tardes —dijo en un alto tono de voz que irrumpió con brusquedad a través de los altavoces del estadio y se oyó desde casi un kilómetro de distancia—. Y bienvenidos a nuestra conmemoración de la vida de Eddie Rake. En nombre de la señora Lila Rake, sus tres hijas, sus ocho nietos y el resto de la familia, les doy la bienvenida y les agradezco su asistencia.

Abrió un pliego de notas.

—Carl Edward Rake nació hace setenta y dos años en Gaithersburg, Maryland. Hace cuarenta y ocho, se casó con Lila Rake, antes Lila Saunders. Hace cuarenta y cuatro, la junta directiva del instituto Messina lo contrató como entrenador principal del equipo de fútbol americano. En aquel momento tenía veintiocho años y no había ejercido nunca como entrenador, y él siempre decía que consiguió el puesto porque no había más aspirantes. Entrenó al equipo durante treinta y cuatro años, ganaron más de cuatrocientos partidos, trece títulos estatales, y ya sabemos el resto de las cifras. Pero lo más importante es que nos cambió la vida a todos. El entrenador Rake murió el miércoles por la noche. Ha sido enterrado esta mañana en una ceremonia privada a la que solo ha asistido la familia, y, por petición propia y con el consentimiento de la familia Reardon, ahora descansa junto a Scotty. El entrenador Rake me explicó la semana pasada que había soñado con Scotty y le había confesado que no veía la hora de encontrarse con él en el cielo, abrazarlo fuerte y decirle que lo sentía.

En el momento oportuno, se interrumpió para que las últimas palabras hicieran mella en los asistentes. Abrió una Biblia.

Cuando estaba a punto de proseguir, se produjo un alboroto cerca de la puerta principal. Un aparato de radio a todo volumen chirrió. Las puertas de un coche se cerraron de golpe y se oyeron voces. La gente empezó a removerse. El padre McCabe esperó y volvió la mirada hacia la puerta, y eso hizo que todo el mundo se volviera también.

Un gigante de hombre penetró en el recinto con paso enérgico y avanzó por la pista. Era Jesse Trapp, con un funcionario de la prisión a cada lado. Llevaba unos pantalones caqui y una camisa que le habían prestado en la cárcel, todo muy bien planchado; le habían retirado las esposas. Los guardias vestían de uniforme y no eran mucho menos corpulentos que él. La multitud se quedó petrificada al reconocerlo. Avanzaba por la pista con la cabeza muy alta y la espalda muy derecha, aire de orgullo, pero su mirada expresaba un ligero desconcierto. ¿Dónde debía sentarse? ¿Cabría? ¿Lo acogerían bien? Al acercarse al extremo de las gradas, una persona de entre la multitud captó su atención. Alguien lo llamó y Jesse se detuvo en seco.

Era su madre, una mujer diminuta que le guardaba un sitio junto a la valla. Se abalanzó sobre ella y la abrazó muy fuerte por encima de la tela metálica mientras los guardias se miraban el uno al otro buscando la confirmación de que, sí, al prisionero le estaba permitido abrazar a su madre.

De una arrugada bolsa de plástico, la señora Trapp sacó una camiseta verde. El número 56, retirado en 1985. Jesse la tomó y miró a los antiguos jugadores en la pista, todos tensos al verlo allí. Frente a las mismas diez mil personas que un día lo habían instigado a lisiar contrincantes, se desabotonó la camisa y se despojó de ella con prontitud. De repente, dejó al descubierto más cantidad de brillante masa muscular tonificada y bronceada de la que nadie había visto en su vida, y pareció hacer una pausa para que tanto los asistentes como él pudieran disfrutar del momento. El padre McCabe aguardó paciente, igual que el resto de los asistentes.

Cuando tuvo a punto la camiseta, se la pasó por la cabeza y luego la estiró por aquí y por allá hasta que estuvo bien puesta. Le marcaba mucho los bíceps, y le quedaba muy estrecha en el pecho y en el cuello; sin embargo, todos los Spartans presentes habrían dado cualquier cosa para que la camiseta les sentara tan bien. En la estrecha cintura le quedaba muy amplia, y cuando se hubo remetido bien la prenda en los pantalones, dio la impresión de que iba a reventarla. Volvió a abrazar a su madre.

Alguien empezó a aplaudir y a continuación varias personas se levantaron e hicieron lo propio. «Bienvenido a casa, Jesse, te seguimos queriendo.» Rápidamente, las gradas traquetearon bajo una multitud que se ponía en pie. Una atronadora oleada de aplausos invadió Rake Field cuando la ciudad acogió a su héroe caído. Jesse asintió, luego saludó tímidamente con la mano mientras proseguía su lenta marcha hasta el atril. La ovación se hizo más ruidosa cuando Jesse estrechó la mano al padre McCabe y abrazó a la señorita Lila. Se encogió para introducirse por un irregular pasillo formado por antiguos jugadores, y por fin encontró una silla vacía que pareció hundirse bajo su peso. Para cuando Jesse estuvo sentado y quieto, le caían lágrimas de las mejillas.

El padre McCabe aguardó hasta que volvió a reinar el silencio. Ese día no había prisa, nadie miraba el reloj. Volvió a ajustar el micrófono y dijo:

—Uno de los fragmentos de las Sagradas Escrituras que más le gustaba al entrenador Rake era el salmo veintitrés. Lo leímos juntos el lunes pasado. Sus versos favoritos eran: «Aunque ande en valle de sombra de muerte, no temeré mal alguno porque tú estarás conmigo; tu vara y tu cayado me infundirán aliento». Eddie Rake vivió su vida sin temer nada. Enseñó a sus jugadores que los tímidos y los asustadizos no caben entre los victoriosos. Quienes no asumen riesgos no reciben recompensas. Hace unos meses, el entrenador Rake aceptó que su muerte era inevitable. No temía a su enfermedad ni al sufrimiento que le esperaba. No temía decir adiós a sus seres queridos. Tampoco temía a la muerte. Su fe en Dios era firme e inquebrantable. «La muerte es solo el principio», le gustaba decir.

El padre McCabe hizo una ligera inclinación de cabeza y se retiró del atril. Cuando le dieron la entrada, el coro femenino de una iglesia negra empezó a entonar. Lucían vestidos de color dorado y escarlata, y después de un breve preludio, prorrumpieron en una animada interpretación de «Amazing

Grace». La música exacerbó los sentimientos, como ocurre siempre en ese tipo de situaciones. Y propició los recuerdos. Pronto, cada uno de los Spartans se sumió en sus propias memorias de Eddie Rake.

Cuando Neely pensaba en Rake, lo primero que le venía a la mente siempre era la manotada en la cara, la nariz rota, el puñetazo que dejó inconsciente al entrenador y la dramática reacción del equipo para conseguir el título estatal. Y siempre se esforzaba por no quedarse ahí, por superar ese doloroso recuerdo y revivir los buenos momentos.

Raro es el entrenador que logra motivar tanto a sus jugadores que estos se pasan la vida buscando su aprobación. Desde el momento en que Neely se había puesto por primera vez el uniforme cuando cursaba sexto, siempre había tratado de captar la atención de Rake. Y durante los seis años subsiguientes, con cada pase de balón, con cada carrera, con cada jugada memorizada y cada levantamiento de pesas, con cada hora que pasaba empapado en sudor, cada discurso previo al partido y cada touchdown marcado, con cada partido que ganaban, cada tentación que resistía y cada cuadro de honor que formaba, lo que siempre buscaba era la aprobación de Rake. Deseaba ver su rostro al ganar el Heisman. Soñaba con recibir una llamada telefónica de Rake cuando el Tech ganó el título nacional.

Y raro es el entrenador que hace que los errores duelan aún más mucho después de que los días de los partidos hayan tocado a su fin. Cuando los médicos dijeron a Neely que no podría volver a jugar, se sintió como si hubiera defraudado las ambiciones que Rake abrigaba para él. Cuando su matrimonio se disolvió, casi podía ver el gesto desaprobatorio de Rake. Mientras su banal actividad como corredor de fincas se desarrollaba sin ambiciones claras, pensaba en que Rake le echaría un sermón si él se acercaba lo suficiente para oírlo. Tal vez su muerte acabara con el demonio que lo perseguía, pero tenía sus dudas.

Ellen Rake Young, la hija mayor, se acercó al atril cuando el coro hubo terminado su actuación y desdobló una hoja de papel. Igual que sus hermanas, había tenido el acierto de desaparecer de Messina al terminar el instituto y volver solo cuando los asuntos familiares así lo requerían. La sombra del padre resultaba demasiado abrumadora para que sus hijas pudieran sobrevivir en una ciudad tan pequeña. Ahora estaba en la cuarentena, trabajaba de psiquiatra en Boston y tenía el aspecto de quien se siente fuera de lugar.

—En nombre de la familia, gracias por las oraciones y el apoyo que nos han demostrado durante estas últimas semanas. Mi padre afrontó la muerte con valentía y dignidad. Aunque sus últimos años no han sido de los mejores, él amaba esta ciudad y a su gente, y amaba especialmente a sus jugadores.

«Amar» no era un verbo que ninguno de los jugadores hubiera oído utilizar a Rake. Si era cierto que los amaba, tenía una forma muy particular de demostrarlo.

—Mi padre escribió una pequeña nota y me pidió que la leyera.

Se colocó bien las gafas, se aclaró la garganta y se centró en la hoja de papel.

—«Os habla Eddie Rake desde la tumba. Si estáis llorando, dejad de hacerlo.»

Eso arrancó algunas carcajadas entre la multitud, que ansiaba un pequeño respiro.

—«Siempre he pensado que las lágrimas no sirven de nada. He logrado completar mi vida, de modo que no lloréis por mí. Y tampoco lloréis por los recuerdos. Nunca miréis atrás, quedan demasiadas cosas por hacer. Soy un hombre afortunado que ha vivido una vida maravillosa. Tuve el acierto de casarme con Lila en cuanto tuve la oportunidad de pedírselo; Dios nos ha bendecido con tres preciosas hijas y, según mi último recuento, con ocho estupendos nietos. Solo eso es suficiente para un hombre. Pero Dios me tenía preparadas muchas más bendiciones. Me guió hasta el fútbol y hasta Messina, mi hogar. Y aquí os conocí a vosotros, a mis amigos y a mis jugadores. Aunque he sido incapaz de demostrar mis sentimientos, quiero que mis jugadores sepan que los aprecio mucho a todos. ¿Por qué si no cualquier persona en su sano juicio se dedicaría a entrenar a un equipo de fútbol de instituto durante treinta y cuatro años? A mí me ha resultado fácil. Amaba a mis jugadores. Me encantaría haber sido capaz de decirlo, pero yo no era así. Conseguimos muchos logros, pero no pienso hacer hincapié en las victorias ni en los campeonatos. Quiero aprovechar este momento para presentar mis excusas por dos cosas que lamento.»

En ese momento, Ellen hizo una pausa y volvió a aclararse la garganta. La multitud en pleno pareció contener la respiración.

—«Solo lamento dos cosas de estos treinta y cuatro años. Como ya he dicho, soy un hombre afortunado. La primera tiene que ver con Scotty Reardon. Nunca pensé que sería el responsable de la muerte de uno de mis jugadores, pero acepto mi culpabilidad por ello. Sostenerlo en mis brazos mientras moría es algo que me ha costado llorar todos los días desde entonces. Ya he expresado esos sentimientos a sus padres y creo que con el tiempo han llegado a perdonarme. Me he aferrado a su compasión y la llevo conmigo a la hora de mi muerte. Ahora estoy con Scotty, y en estos momentos, mientras os contemplamos juntos, hemos resuelto las diferencias del pasado para toda la eternidad.»

Hubo otra pausa mientras Ellen daba un sorbo de agua.

—«La segunda tiene que ver con el partido por el título estatal de mil novecientos ochenta y siete. En el descanso, en un arrebato de ira, herí físicamente a un jugador, a nuestro quarterback. Fue un acto criminal que debería haber hecho que me retirara del fútbol para siempre. Siento lo que hice. Mientras contemplaba a aquel equipo tan cohesionado luchar por una victoria que parecía imposible, pensé que nunca había sentido tanto orgullo, ni tampoco tanto dolor. Aquella victoria constituyó mi momento más preciado. Por favor, chicos, perdonadme.»

Neely miró a su alrededor. Todo el mundo había bajado la cabeza y la mayoría tenía los ojos cerrados. Silo se enjugaba el rostro.

—«Ya basta de cosas negativas. Mi cariño para Lila, las chicas y mis nietos. Todos nos encontraremos muy pronto al otro lado del río, en la tierra prometida. Que Dios os acompañe.»

El coro cantó «Just a Closer Walk with Thee» mientras las lágrimas inundaban el lugar.

Neely no pudo evitar preguntarse si Cameron seguiría conteniendo sus emociones. Sospechaba que así era.

Rake había pedido a tres de sus antiguos jugadores que leyeran unos discursos de conmemoración. Que fueran cortos, había pedido por escrito desde su lecho de muerte. El primero lo leyó el honorable Mike Hilliard, en la actualidad juez del tribunal superior de una pequeña población a ciento sesenta kilómetros de distancia. A diferencia de la mayoría de ex Spartans llevaba puestos un traje, aunque arrugado, y una pajarita. Aferró el atril con ambas manos y no necesitó ninguna nota.

—Jugué con el primer equipo del entrenador Rake en mil novecientos cincuenta y ocho —empezó con voz chillona y arrastrando las palabras—. El año anterior habíamos ganado tres partidos y habíamos perdido siete; en aquel entonces se consideró una buena temporada porque en el último partido derrotamos al Porterville. El entrenador dejó la ciudad y se llevó con él a sus ayudantes, y durante un tiempo no tuvimos claro que fuéramos a encontrar un nuevo entrenador. Entonces contrataron a aquel joven llamado Eddie Rake que no era mucho mayor que nosotros. Lo primero que nos dijo era que éramos un hatajo de perdedores, que la derrota es contagiosa y que si creíamos que él iba a permitirnos que perdiéramos ya podíamos coger el portante y largarnos. Ese año cuarenta y uno de nosotros firmamos por el equipo de fútbol. En agosto el entrenador Rake nos llevó a los terrenos de una vieja iglesia de Page County para instruirnos; al cabo de cuatro días éramos solo treinta. Al cabo de una semana quedábamos veinticinco, y algunos empezábamos a preguntarnos si sobreviviríamos el tiempo suficiente para formar un equipo. Las prácticas eran más que brutales. Todas las tardes pasaba un autobús hacia Messina y éramos muy libres de tomarlo. Al cabo de dos semanas el autobús iba vacío y dejó de pasar. Los chicos que se marcharon a casa contaron historias terroríficas sobre lo que sucedía en el campamento Rake, tal como pronto empezamos a llamarlo. Nuestros padres estaban alarmados. Mi madre me contó más tarde que se sentía igual que si me hubiera ido a la guerra. Por desgracia, he visto la guerra con mis propios ojos, y la prefiero al campamento Rake.

»Terminamos el campamento veintiún jugadores, veintiún chicos que jamás habíamos estado tan en forma. Éramos menudos y lentos, y no teníamos quarterback, pero éramos jugadores convencidos. Nuestro primer partido tuvo lugar en casa, contra el Fulton, un equipo que el año anterior nos había avergonzado. Estoy seguro de que algunos aún lo recordáis. Llegamos al descanso con veinte a cero, y Rake nos puso de vuelta y media porque habíamos cometido algunos errores. Su genialidad residía en algo muy simple: Limítate a las jugadas básicas y repítelas sin tregua hasta que seas capaz de ejecutarlas a la perfección. Son lecciones que nunca he olvidado. Ganamos el partido, y lo estábamos celebrando en el vestuario cuando Rake entró y nos ordenó que nos calláramos. Era obvio que nuestra actuación distaba de ser perfecta. Nos pidió que nos pusiéramos las pilas, y cuando el público se hubo marchado regresamos al campo y entrenamos hasta la medianoche. Practicamos dos jugadas hasta que los once conseguimos hacerlo todo perfecto. Nos esperaban nuestras novias. Nos esperaban nuestros padres. Había estado bien ganar el partido pero la gente empezaba a pensar que al entrenador Rake le faltaba algún tornillo. Los jugadores ya lo sabíamos.

»Ese año ganamos ocho partidos y perdimos solo dos, y nació la leyenda de Eddie Rake. Durante mi último año perdimos solo un partido. Luego, en mil novecientos sesenta, el entrenador Rake logró su primera temporada sin derrotas. Yo estudiaba en la universidad y no podía volver a casa todos los viernes, aunque lo deseaba con todas mis fuerzas. Cuando juegas para Rake, entras a formar parte de un pequeño club exclusivo y sigues a todos los equipos que se forman después del propio. Durante los siguientes treinta y dos años, seguí al equipo de fútbol de los Spartans tan de cerca como pude. Estaba aquí, sentado en las gradas, cuando empezó la gran racha en el sesenta y cuatro, y estaba en South Wayne cuando terminó en mil novecientos setenta. Junto con vosotros, disfruté viendo jugar a los grandes: Wally Webb, Roman Armstead, Jesse Trapp y Neely Crenshaw.

»En las paredes de mi atestado despacho tengo colgadas fotos de los treinta y cuatro equipos de Rake. Todos los años me enviaba una foto del equipo. Con frecuencia, cuando debería haber estado trabajando, encendía la pipa, me plantaba delante de la foto y observaba los rostros de todos los jóvenes a quienes entrenaba. Blancos escuálidos en la década de mil novecientos cincuenta, con las cabezas peladas al rape y sonrisas de inocencia. Entre los más melenudos de la década de mil novecientos sesenta había menos sonrisas y miradas más decididas; casi podían vislumbrarse las ominosas sombras de la guerra y los derechos civiles en sus rostros. Jugadores blancos y negros sonreían juntos en los setenta y en los ochenta; mucho más corpulentos, con uniformes más elegantes. Algunos eran hijos de chicos que jugaron conmigo. Sabía que todos y cada uno de los jugadores que me observaban desde las paredes de mi despacho llevaban la indeleble marca de haber pasado por las manos de Eddie Rake. Ponían en práctica las mismas jugadas, oían los mismos discursos motivadores, aguantaban los mismos sermones, soportaban las mismas instrucciones brutales en agosto. Y todos, en algún momento, habíamos albergado el convencimiento de que odiábamos a Eddie Rake. Pero luego nos marchábamos. Nuestra foto quedaba en la pared y pasábamos el resto de nuestra vida oyendo su voz en el vestuario, suspirando por los días en que lo llamábamos entrenador.

»La mayoría de esos rostros están aquí hoy. Un poco mayores, con más canas, algunos un poco más gruesos. Todos más tristes por tener que decir adiós al entrenador Rake. Y ¿por qué nos preocupamos? ¿Por qué estamos aquí? ¿Por qué una vez más las gradas están llenas a rebosar? Pues bien, os diré por qué.

»Pocos de nosotros hemos hecho algo en la vida que sea reconocido y recordado por más de cuatro personas. No somos grandes. Puede que seamos buenos, honrados, justos, trabajadores, leales, atentos, generosos y muy amables, o puede que seamos de otra manera. Pero no se nos considera grandes. La grandeza es algo que acontece tan rara vez que cuando la tenemos cerca todos queremos alcanzarla. Eddie Rake nos dio la oportunidad a jugadores y aficionados de alcanzar la grandeza, de formar parte de ella. Era un gran entrenador, planeó un gran programa de entrenamiento y creó una gran tradición, y nos ofreció a todos algo muy grande, algo que siempre apreciaremos mucho. Si somos afortunados, la mayoría de nosotros gozaremos de una vida larga y feliz, pero nunca volveremos a encontrarnos tan cerca de la grandeza. Por eso estamos aquí.

»Tanto si amabais a Eddie Rake como si no, no podéis negar su grandeza. Era el hombre más excelso que he conocido jamás. Mis recuerdos más felices tienen que ver con llevar la camiseta verde y jugar para él en este campo. Añoro esos días. Aún oigo su voz, siento su ira, huelo su sudor, veo su orgullo. Siempre echaré de menos al gran Eddie Rake.

Hizo una pausa, luego agachó la cabeza y se apartó del micrófono de golpe cuando un quedo, casi tímido aplauso se extendió entre la multitud. En cuanto se sentó, un caballero negro de ancho torso que vestía un traje gris se puso en pie y avanzó con paso muy digno hasta el atril. Bajo la americana llevaba la camiseta verde. Levantó la cabeza y paseó la mirada por la apretujada multitud.

—Buenas tardes —empezó con una voz que no necesitaba micrófonos—. Soy el reverendo Collis Suggs, de la iglesia Bethel de Dios en Cristo, de aquí, de Messina.

Collis Suggs no requería presentarse a nadie que viviera en un radio de ochenta kilómetros alrededor de Messina. Eddie Rake lo había designado el primer capitán negro en 1970. Había jugado por un breve espacio de tiempo en el A&M de Florida antes de romperse una pierna; luego se hizo pastor. Reunió a una extensa congregación y se metió en política. Durante años se rumoreó que si Eddie Rake y Collis Suggs querían que salieras elegido, salías elegido; si no, más valía que tu nombre desapareciera de la papeleta.

Treinta años en el púlpito le habían servido para perfeccionar sus habilidades como orador. Su dicción era impecable, su ritmo y su tono resultaban cautivadores. Se sabía que el entrenador Rake se sentaba furtivamente en el último banco de la iglesia Bethel los domingos por la noche solo para oír predicar a su antiguo guardia nariz.

—Jugué para el entrenador Rake en los años mil novecientos sesenta y nueve y setenta.

La mayoría de los presentes había visto todos los partidos.

—A finales de julio del sesenta y nueve, el tribunal supremo de Estados Unidos decidió que ya había bastante. Quince años después de «Brown contra el consejo de educación», en la mayoría de las escuelas del Sur aún se practicaba la segregación. El tribunal tomó medidas drásticas y nuestras vidas cambiaron para siempre. Una calurosa noche de verano, estábamos jugando a baloncesto en el gimnasio del Section High, el instituto de los chicos de color, cuando el entrenador Thomas entró y nos dijo: «Chicos, nos vamos al instituto Messina. Vais a convertiros en Spartans. Subid al autocar». Unos doce subimos al autocar y el entrenador Thomas nos llevó a la otra punta de la ciudad. Estábamos confundidos y asustados. Nos habían dicho muchas veces que las escuelas se integrarían, pero siempre pasaba la fecha prometida y no sucedía nada. Sabíamos que el instituto Messina tenía todo lo mejor: bonitos edificios, bonitos campos, un gimnasio enorme, muchos trofeos, un equipo de fútbol americano que por aquel entonces había ganado unos cincuenta o sesenta partidos seguidos. Y tenía un entrenador que se creía Vince Lombardi. Sí, nos sentíamos intimidados, pero sabíamos que teníamos que ser fuertes. Llegamos al instituto Messina esa noche. El equipo de fútbol estaba haciendo músculos en la enorme sala de pesas; había más pesas de las que yo había visto en mi vida. Unos cuarenta chicos le daban al metal y sudaban al ritmo de la música. En cuanto entramos, todo quedó en silencio. Se nos quedaron mirando, y nosotros los miramos a ellos. Eddie Rake se nos acercó, le estrechó la mano al entrenador Thomas y dijo: «Bienvenidos a nuestro nuevo instituto». Nos instó a que nos estrecháramos las manos, luego nos pidió que nos sentáramos en las colchonetas y pronunció un breve discurso. Dijo que no le importaba de qué color fuera nuestra piel. Todos sus jugadores vestían de color verde. Su terreno de juego estaba perfectamente nivelado. El trabajo duro llevaba a ganar partidos, y él no creía en la derrota. Recuerdo que estaba sentado en aquella colchoneta de goma espuma, fascinado por aquel hombre. Enseguida se convirtió en mi entrenador. Eddie Rake era muchas cosas, pero entre ellas era la persona más capaz de motivar que he conocido jamás. Deseé ponerme los protectores y empezar a repartir golpes al instante.

»Dos semanas después iniciábamos nuestros dos entrenos diarios del mes de agosto, y no me he sentido tan dolorido en toda mi vida. Rake tenía razón. El color de la piel no importaba. Nos trataba a todos como perros.

»Estábamos muy preocupados por el primer día de clase, por las peleas y los conflictos raciales. Y en la mayoría de las escuelas se vieron muchos. Pero aquí no. El director dejó la seguridad a cargo de Eddie Rake y todo transcurrió con tranquilidad. Puso la camiseta verde a todos sus jugadores, la misma camiseta que llevamos hoy, y formó parejas: un jugador blanco y un jugador negro. Cuando llegaban los autobuses, estábamos allí para recibirlos. Lo primero que los chicos negros vimos en el instituto Messina fue el equipo de fútbol;

blancos y negros juntos, todos vestidos de verde. Unos cuantos exaltados empezaron a buscar bronca, pero los convencimos de que las cosas podían hacerse de otra manera.

»La primera controversia fue por las animadoras. Las chicas blancas se habían pasado todo el verano entrenándose como un batallón. El entrenador Rake fue a hablar con el director y le dijo que lo apropiado sería que fueran mitad y mitad. Y él así lo hizo. Hoy día aún lo son. Después vino la banda. No había suficiente dinero para combinar la banda blanca y la banda negra y que todos marcharan con el uniforme de Messina. Tenían que reducir el número de chicos, y parecía que la mayoría de los que iban a dejar de lado eran negros. Entonces el entrenador Rake se dirigió al club de socios y explicó que necesitaba veinte mil dólares para comprar nuevos uniformes para la banda. Dijo que Messina tendría la mayor banda musical de instituto de todo el estado; y aún la tiene.

»Había mucha resistencia a la integración. Muchos blancos pensaban que era una medida temporal. Cuando la acción judicial terminara se volvería al antiguo sistema de vivir separados aunque en igualdad de condiciones. Yo estoy aquí para deciros que mientras vivimos separados no hubo tal igualdad de condiciones. En la zona de la ciudad donde nosotros vivíamos se especulaba mucho acerca de si los entrenadores blancos estarían dispuestos a entrenar a chicos negros. Y en la zona de la ciudad donde vivían los blancos había mucha presión para que solo entrenaran a chicos blancos. Después de entrenar tres semanas con Eddie Rake, supimos la verdad. Nuestro primer partido de aquel año fue contra el North Delta. Todos los jugadores que entraron en el campo eran blancos. Tenían a unos quince negros en el banquillo. Yo conocía a algunos de ellos y sabía que jugaban bien. Rake puso en el campo a sus mejores jugadores y pronto nos dimos cuenta de que el North Delta no había hecho lo mismo. Les dimos una paliza. A medio partido íbamos ganando por cuarenta y uno a cero. Cuando empezó el segundo tiempo, los negros del North Delta abandonaron el banquillo, y además tengo que reconocer que nosotros nos relajamos un poco. El problema era que con Eddie Rake no había posibilidad de relajación. Si te pillaba en el campo holgazaneando, te tocaba quedarte con él de pie en la línea de banda.

»Corrió la voz de que Messina estaba poniendo a punto a sus chicos de color y pronto la cuestión quedó resuelta en todo el estado.

»Eddie Rake fue el primer blanco que me gritó y consiguió que me gustara. Una vez me di cuenta de que era cierto que no le importaba el color de mi piel, estuve dispuesto a seguirlo a todas partes. Él detestaba la injusticia. Como no era de aquí, aportó un punto de vista diferente. Nadie tenía derecho a maltratar a nadie, y si el entrenador Rake se enteraba de que alguien lo hacía, la pelea estaba asegurada. A pesar de su dureza, era tremendamente sensible al sufrimiento ajeno. Cuando me hice pastor, el entrenador Rake venía a la iglesia y colaboraba en nuestros programas de ayudas sociales. Abrió su hogar a niños que habían sufrido maltratos y abusos. Nunca ganó mucho dinero como entrenador, pero era generoso cuando alguien necesitaba comida o ropa, o medios para su educación. En verano entrenaba a equipos de chicos más jóvenes. Claro que, conociendo a Rake, aprovechaba para fijarse en aquellos que corrían más. Organizaba competiciones de pesca para niños huérfanos. Y, como era típico en él, nunca lo hizo para que se lo agradecieran.

El reverendo hizo una pausa y dio un sorbo de agua. La multitud observó todos sus movimientos y aguardó.

—Cuando echaron al entrenador Rake, pasé un poco de tiempo con él. Estaba convencido de que lo habían tratado con injusticia. Pero creo que con el paso de los años el entrenador acabó aceptando su suerte. Sé que lloró mucho la pérdida de Scotty Reardon, y estoy muy contento de que esta mañana lo hayan enterrado junto a él. Tal vez ahora esta ciudad ponga fin a las enemistades. Resulta muy irónico que el hombre que puso a la ciudad en el mapa, el hombre que hizo tanto por agrupar a tanta gente, fuera a su vez el hombre por el que Messina lleva diez años de enfrentamientos. Enterremos el hacha de guerra, depongamos las armas y hagamos las paces sobre Eddie Rake. Cristo nos une a todos. Y, en esta maravillosa ciudad, Eddie Rake nos une a todos. Que Dios bendiga a nuestro entrenador. Que Dios os bendiga a todos.

El cuarteto de cuerda tocó una triste balada que duró diez minutos.

A Rake le correspondía la última palabra. A Rake le correspondía manipular a sus jugadores una vez más.

Verdaderamente, Neely no podía decir nada malo de su entrenador, no en esos momentos. Rake se había disculpado desde la tumba. Ahora quería que Neely se presentara ante la ciudad, aceptara sus disculpas y añadiera unas cálidas palabras de su cosecha.

Su primera reacción al recibir la nota de la señorita Lila pidiéndole que redactara un pequeño discurso de conmemoración fue despotricar y preguntar: «¿Por qué precisamente yo?». De todos los jugadores a quienes Rake había entrenado, había docenas con quienes había mantenido una relación más estrecha que con Neely. Paul sospechaba que esa era la manera que Rake tenía de hacer por fin las paces con Neely y el equipo del año ochenta y siete.

Fuera cual fuera la razón, no existía ninguna forma correcta de negarse a hacer un discurso de conmemoración. Paul dijo que, simplemente, no estaba bien. Neely confesó que nunca había redactado ningún discurso de conmemoración y que nunca había hablado delante de un grupo, ni grande ni pequeño; además, estaba planteándose aprovechar la oscuridad de la noche para huir de todo aquello.

Mientras avanzaba despacio entre los jugadores sentía que le pesaban las piernas y la rodilla izquierda le dolía más de lo habitual. Sin cojear, subió a la pequeña plataforma y se situó detrás del atril. Entonces miró a la multitud; todos lo observaban, y estuvo a punto de desmayarse. En toda el área comprendida entre las líneas de veinte yardas —o sea, sesenta yardas en total— y las cincuenta filas de altura, las gradas locales de Rake Field no eran sino un muro de rostros que se asomaban para admirar a su antiguo héroe.

Neely sucumbió por completo al pánico sin resistirse. Llevaba toda la mañana asustado y nervioso, y ahora se sentía aterrorizado. Poco a poco, desdobló una hoja de papel y se tomó su tiempo para tratar de leer las palabras que había escrito y reescrito. «No hagas caso de la multitud —se dijo—. No puedes violentarte a ti mismo. Esta gente te recuerda como un gran quarterback, no como un cobarde con la voz quebrada.»

—Soy Neely Crenshaw —consiguió decir con cierta seguridad. Encontró un punto en la valla de tela metálica que rodeaba la pista, directamente frente a él, justo por encima de las cabezas de los jugadores y justo por debajo de la primera fila de las gradas. Dirigiría sus comentarios a esa parte de la valla e ignoraría todo lo demás. Al oír su propia voz por el sistema de megafonía se tranquilizó un poco—. Y jugué para el entrenador Rake entre los años mil novecientos ochenta y cuatro y ochenta y siete.

Volvió a mirar sus notas y recordó uno de los sermones de Rake. «El miedo es inevitable, y no siempre es malo. Domina el miedo y utilízalo en beneficio propio.» Claro que para Rake aquello significaba saltar del vestuario al campo y tratar de lesionar al primer jugador del equipo contrario que se cruzara en el camino de uno. El consejo no resultaba tan útil cuando lo que se necesitaban eran palabras elocuentes.

Neely volvió a centrarse en la valla, se encogió de hombros, trató de sonreír y dijo:

—Mirad, yo no soy juez ni pastor, y no estoy acostumbrado a hablar en público. Por favor, tened paciencia conmigo.

La multitud llena de adoración le habría permitido cualquier cosa.

Asió sus notas con torpeza y empezó a hablar.

—La última vez que vi al entrenador Rake fue en mil novecientos ochenta y nueve. Yo estaba en el hospital, hacía unos días que me habían operado, y él se coló en mi habitación una noche, ya tarde. Entró una enfermera y le dijo que tenía que marcharse. El horario de visita había terminado. Él le explicó muy clarito que se marcharía en cuanto estuviera listo, ni un minuto antes. La enfermera se marchó ofendida.

Neely levantó la cabeza y miró a los jugadores. Muchas sonrisas. Su voz sonaba firme, no se quebró. Sobrevivía.

—No había vuelto a hablar con el entrenador Rake desde el partido del campeonato del ochenta y siete. Supongo que ahora todo el mundo sabe por qué. Lo ocurrido fue un secreto que enterramos entre todos. No lo olvidamos porque habría resultado imposible, pero decidimos mantenerlo en secreto. Esa noche en el hospital levanté la vista y allí estaba el entrenador Rake, de pie junto a mi cama, dispuesto a hablar. Tras unos instantes violentos, empezamos a charlar. Él acercó una silla y hablamos durante largo rato. Hablamos como nunca antes lo habíamos hecho. De antiguos jugadores, de antiguos partidos, de muchísimos recuerdos del fútbol de Messina. Hubo unas cuantas risas. Él se interesó por mi lesión. Cuando le conté que los médicos estaban prácticamente seguros de que no podría volver a jugar nunca más, sus ojos se llenaron de lágrimas y pasó mucho rato sin poder hablar. Mi prometedora carrera había terminado de repente, y Rake me preguntó qué pensaba hacer. Yo tenía diecinueve años y ni idea de qué hacer. Me hizo prometerle que terminaría los estudios universitarios, y no cumplí mi promesa. Al final sacó el tema del partido del campeonato y se disculpó por sus acciones. Me hizo prometerle que lo perdonaría; otra promesa sin cumplir. Hasta ahora.

En algún momento, sin darse cuenta, Neely había apartado la vista de sus notas, y también de la valla de tela metálica. Miraba a la multitud.

—Cuando pude volver a caminar, me pareció que asistir a clase requería demasiado esfuerzo. Iba a la universidad a jugar al fútbol, y cuando de pronto eso terminó perdí todo interés por los estudios. Tras unos cuantos semestres, dejé la universidad y me dediqué a vagar durante unos cuantos años, tratando de olvidarme de Messina y de Eddie Rake y todos los sueños truncados. La palabra «fútbol» me parecía horrible. Permití que la amargura se enconara y creciera en mi interior, y decidí que jamás regresaría. Con el paso del tiempo, hice todo cuanto pude por olvidarme de Eddie Rake.

»Hace unos meses llegó a mis oídos que estaba muy enfermo y que probablemente no sobreviviría. Habían pasado catorce años desde la última vez que pusiera los pies en este campo, la noche en que el entrenador Rake retiró mi número. Como todos los antiguos jugadores reunidos aquí esta noche, sentí la imperiosa necesidad de volver a casa. De volver a este campo desde donde una vez dominamos el mundo. Sintiera lo que sintiese por el entrenador Rake, sabía que tenía que estar aquí cuando muriera. Tenía que decirle adiós. Y tenía que aceptar final y sinceramente sus disculpas. Debería haberlo hecho antes.

Las últimas palabras supusieron un esfuerzo. Neely se aferró al atril e hizo una pausa mientras miraba a Paul y a Silo, que asentían y parecían decir: «Adelante, sigue».

—Cuando has jugado para Eddie Rake, lo llevas siempre en tu interior. Oyes su voz, ves su rostro, suspiras por su sonrisa de aprobación, recuerdas sus broncas y sus sermones. Cada vez que tienes éxito en la vida, quieres que Rake lo sepa. Quieres decirle: «Eh, entrenador, mire lo que he hecho». Y quieres agradecerle que te enseñara que el éxito no es accidental. Y cada vez que fracasas quieres disculparte porque él no nos enseñó a fracasar. Él se negaba a aceptar el fracaso. Y quieres recibir sus consejos para superarlo.

»Hay veces en que te cansas de llevar siempre contigo al entrenador Rake. Quieres ser capaz de cagarla y no oírle vociferar. Deseas devolver la pelota y tal vez traspasar la línea sin oír su silbato. Pero entonces la voz te ordena que te levantes y te marques una meta, que trabajes más duro que los demás, que te limites a practicar lo básico hasta que te salga perfecto, que tengas confianza, que seas valiente y que jamás, jamás te rindas. La voz no se aleja nunca.

»Hoy nos marcharemos de aquí sin la presencia física de nuestro entrenador. Pero su espíritu vivirá en el corazón, la mente y el alma de todos los jóvenes a los que emocionó, y de todos los niños que se hicieron hombres a cargo de Eddie Rake. Imagino que su espíritu nos conmoverá, nos motivará y nos reconfortará el resto de nuestros días. Hoy, quince años después, pienso en el entrenador Rake más que nunca.

»Hay una pregunta que me he formulado miles de veces, y a la que sé que todos los jugadores se han enfrentado. La pregunta es "¿Amo a Eddie Rake, o lo odio?".

La voz de Neely empezó a quebrarse y a perder intensidad. Cerró los ojos, se mordió la lengua y trató de hacer acopio de fuerzas para terminar. Luego, se enjugó el rostro y dijo, poco a poco:

—Me he respondido a la pregunta de un modo diferente cada día desde la primera vez que le oí tocar el silbato y gritarme. No resultaba fácil amar al entrenador Rake, y mientras estás aquí jugando ni siquiera te cae bien. Sin embargo, cuando te marchas, cuando te aventuras a alejarte de este lugar, cuando te han tratado a patadas unas cuantas veces y te has enfrentado en alguna ocasión a la adversidad y al fracaso, cuando la vida te ha dejado por los suelos, enseguida te das cuenta de lo importante que es y fue el entrenador Rake. Siempre oyes su voz, instándote a que te levantes, a que hagas las cosas mejor, a que nunca te rindas. Echas de menos esa voz. Cuando te has alejado del entrenador Rake, lo echas mucho de menos.

Ahora estaba tenso. O se sentaba o acabaría por sentirse violento. Miró a Silo, que alzó el puño como diciendo: «Acaba, rápido».

—He amado a cinco personas en mi vida —dijo, mirando con valentía a la multitud. Su voz estaba perdiendo intensidad, de modo que apretó los dientes y continuó—. A mis padres, a una chica que hoy está aquí, a mi ex mujer y a Eddie Rake.

Vaciló durante una larga y dolorosa pausa, y luego dijo:

—Ahora voy a sentarme.

Cuando el padre McCabe terminó la bendición y dio permiso a la multitud para que se marchara, hubo poco movimiento. La ciudad no estaba preparada para decir adiós a su entrenador. Cuando los jugadores se pusieron en pie y se reunieron alrededor de la señorita Lila y la familia, la ciudad los observó desde las gradas.

El coro entonó bajito una espiritual, y unas cuantas personas se fueron dirigiendo hacia la puerta principal.

Todos los jugadores deseaban decir algo a Jesse Trapp, como si dándole jabón fueran a retrasar su inevitable regreso a la prisión. Al cabo de una hora, Rabbit arrancó la cortacésped John Deere y empezó a segar la zona de anotación sur. Después de todo, había un partido por jugar. Quedaban cinco horas para el saque inicial contra el Hermantown. Cuando la señorita Lila y la familia empezaron a alejarse de la carpa, los jugadores los siguieron con paso lento. Los operarios desmontaron rápidamente la carpa y se llevaron la lona alquitranada y las sillas plegables. Los banquillos locales se dispusieron en línea recta. El equipo de pintores, una experta brigada de socios del club, se apresuró en realizar sus tareas en el campo; ya iban con retraso. Adoraban a Rake, pero tenían que pintar las líneas y retocar el logotipo de la zona central. Llegaron las animadoras y empezaron a trabajar con frenesí para colgar carteles pintados a mano en la valla que rodeaba el campo. Pusieron a punto una máquina de niebla para dar mayor énfasis a la espectacular entrada del equipo por la zona de anotación.

La banda se oía en la distancia, en uno de los campos de entrenamiento, afinando y ensayando difíciles fragmentos.

El fútbol se respiraba en el ambiente. La noche del viernes se aproximaba con rapidez.

En la puerta principal, los jugadores se estrechaban la mano, se abrazaban y se hacían las típicas promesas de reunirse más a menudo. Algunos tomaron rápidas fotografías de los miembros que quedaban de sus equipos. Más abrazos, más promesas, más miradas tristes hacia el campo en el que un día jugaron a las órdenes del gran Eddie Rake.

El equipo del ochenta y siete se reunió en la cabaña que Silo poseía a unos cuantos kilómetros de distancia de la ciudad. Era un antiguo pabellón de caza situado en el interior del bosque, a la orilla de un pequeño lago. Silo se había gastado un poco de dinero en reformarlo. Disponía de una piscina, tres terrazas a distintos niveles para lo que se dice holgazanear y un embarcadero nuevo que se adentraba un kilómetro y medio en el agua y terminaba junto a un pequeño cobertizo para botes. Dos de sus empleados, sin duda experimentados ladrones de coches, asaban filetes en la terraza de abajo. Nat Sawyer había llevado una caja de puros de contrabando. Había dos barriles de cerveza sumergidos en hielo.

Se dirigieron al cobertizo para botes, donde Silo, Neely y Paul aguardaban sentados en hamacas plegables intercambiando insultos, chistes y charlando de todo un poco excepto de fútbol. Asaltaron los barriles de cerveza y los chistes se tornaron más atrevidos y las risas más escandalosas. Los filetes estuvieron listos sobre las seis.

El plan inicial era ver a los Spartans jugar esa noche, pero nadie hizo la mínima intención de salir del cobertizo. A la hora del saque inicial, la mayoría de ellos no estaban en condiciones de conducir. Silo estaba borracho y se fue a descansar; le esperaba una resaca terrible.

Neely tomó una cerveza y luego cambió a los refrescos. Estaba harto de Messina y de todos los recuerdos. Había llegado el momento de marcharse de la ciudad y volver al mundo real. Cuando empezó a despedirse, le rogaron que se quedara. Silo casi lloró al abrazarlo. Neely prometió que regresaría al cabo de un año, a ese mismo cobertizo, donde celebrarían el primer aniversario de la muerte de Rake.

Llevó a Paul a su casa y lo dejó en el camino de entrada.

—¿Dices en serio lo de volver el año que viene? —preguntó Paul.

—Claro. Aquí estaré.

—¿Lo prometes?

—Sí.

—Pero tú no cumples las promesas.

—Esta sí.

Pasó frente a casa de los Lane sin detenerse y no vio el coche de alquiler. A esas horas Cameron debía de estar en su casa, a un millón de kilómetros de Messina. Tal vez pensara en él un par de veces durante los días subsiguientes, pero el recuerdo no duraría mucho más.

Pasó frente a la casa donde había vivido diez años, frente al parque donde de niño jugaba al béisbol y al fútbol. Las calles se veían desiertas porque todo el mundo estaba en Rake Field.

En el cementerio, aguardó a que otro ex Spartan de cierta edad acabara su meditación en la oscuridad. Cuando por fin la figura se puso en pie y se alejó, Neely penetró con sigilo en la quietud. Se sentó en cuclillas junto a la lápida de Scotty Reardon y tocó la tierra recién removida de la tumba de Rake. Rezó una oración, derramó una lágrima y pasó un buen rato despidiéndose.

Circuló alrededor de la plaza vacía, luego por los callejones hasta dar con el camino de grava. Se detuvo en Karr's Hill y estuvo una hora sentado en el capó del coche, viendo y escuchando el partido desde la distancia. Hacia el final del tercer cuarto, dio el empate por bueno.

Por fin el pasado lo dejaba. Se había marchado con Rake. Neely se sentía cansado de los recuerdos y los sueños truncados. «Déjalo ya —se dijo a sí mismo—, nunca volverás a ser el héroe que fuiste. Esos días han tocado a su fin.»

Mientras se alejaba, se comprometió a regresar más a menudo. Messina era el único hogar que conocía. Allí había pasado los mejores años de su vida. Regresaría y acudiría a ver a los Spartans el viernes por la noche, se sentaría junto a Paul, Mona y sus tres hijos, saldría a divertirse con Silo y Hubcap, comería en Renfrow's e iría a tomar café con Nat Sawyer.

Y cuando surgiera el nombre de Eddie Rake, él sonreiría, tal vez incluso se echaría a reír, y contaría su propia historia. Una historia con un final feliz.

Impreso en Talleres Gráficos
LIBERDÚPLEX, S.L.U.
Pol. Ind. Torrentfondo
Ctra. Gelida BV-2249 Km. 7,4
08791 Sant Llorenç d'Hortons (Barcelona)